Suhrkamp BasisBibliothek 94

Diese Ausgabe der »Suhrkamp BasisBibliothek – Arbeitstexte für Schule und Studium« bietet nicht nur Georg Büchners Drama *Woyzeck* sowie sämtliche Entstehungsstufen, sondern im Anhang auch die beiden Hauptquellen des Stücks: die gerichtsmedizinischen Gutachten zum Fall Schmolling und zum Fall Woyzeck. Ergänzt wird diese Ausgabe durch einen Kommentar, der alle für das Verständnis des Textes erforderlichen Informationen enthält: ein biografisches Porträt Büchners, Hinweise zum historischen Hintergrund, zur Entstehungs- und Überlieferungsgeschichte des *Woyzeck*, zur Wirkungsgeschichte sowie ausführliche Wort- und Sacherläuterungen. Die Schreibweise des Kommentars entspricht den neuen Rechtschreibregeln. Zu ausgesuchten Texten der Suhrkamp BasisBibliothek erscheinen im Cornelsen Verlag Hörbücher und CD-ROMs. Weitere Information finden Sie unter www.cornelsen.de.

Henri Poschmann, geboren 1932, ist Literaturwissenschaftler, Essayist und Herausgeber, u. a. der Werke Georg Büchners im Deutschen Klassiker Verlag.

Georg Büchner
Woyzeck

Mit einem Kommentar
von Henri Poschmann

Suhrkamp

Der vorliegende Text folgt der Ausgabe:
Georg Büchner, *Sämtliche Werke, Briefe und Dokumente in zwei Bänden.*
Band 1: *Dichtungen.* Herausgegeben von Henri Poschmann
unter Mitarbeit von Rosemarie Poschmann, S. 145-219
und S. 930-965, Frankfurt am Main: Deutscher Klassiker
Verlag 1992.

6. Auflage 2016

Erste Auflage 2008
Suhrkamp BasisBibliothek 94
Originalausgabe

© Text: Deutscher Klassiker Verlag, Frankfurt am Main 1992
© Kommentar: Suhrkamp Verlag Frankfurt am Main 2008

Satz: Jouve Germany, Kriftel
Druck: CPI – Ebner & Spiegel, Ulm
Umschlaggestaltung: Regina Göllner und Hermann Michels
Printed in Germany
ISBN 978-3-518-18894-1

Inhalt

Woyzeck

Kombinierte Werkfassung

Personen

WOYZECK, FRANZ
MARIE
DER TAMBOURMAJOR
DER HAUPTMANN
DER DOKTOR
DER PROFESSOR
DER AUSRUFER EINER SCHAUBUDE
ANDRES, *Kamerad Woyzecks*
GROSSMUTTER
KARL, *ein Idiot*
MARGRETH, *Nachbarin Maries*
KÄTHE, *ein Mädchen beim Tanz*
DER JUDE, *ein Trödelhändler*
DER WIRT
EIN UNTEROFFIZIER
EIN GERICHTSDIENER
ERSTER HANDWERKSBURSCH
ZWEITER HANDWERKSBURSCH
ERSTE PERSON
ZWEITE PERSON
ERSTES KIND
ZWEITES KIND
DRITTES KIND
ALTER MANN
CHRISTIAN, *das Kind Maries und Woyzecks*
   (etwa ein Jahr alt)
EIN ARZT *(Gerichtsmediziner)*
EIN RICHTER

Soldaten, Studenten, Leute. Ein Schaubudenpferd

1 ⌐Freies Feld⌐. Die Stadt in der Ferne

Woyzeck und Andres ⌐schneiden Stöcke⌐ im Gebüsch.

WOYZECK Ja Andres; ⌐den Streif da über das Gras hin, da
rollt Abends der Kopf, es hob ihn einmal einer auf, er
5 meint es wär' ein Igel. Drei Tag und drei Nächt und er
lag ⌐auf den Hobelspänen⌐ *leise*: Andres, das waren ⌐die
Freimaurer⌐, ich hab's, die Freimaurer, still!
ANDRES *singt*: ⌐Saßen dort zwei Hasen⌐
                Fraßen ab das grüne, grüne Gras
10   . . .
WOYZECK Still! ⌐Es pocht! Was?
ANDRES   Fraßen ab das grüne, grüne Gras
                Bis auf den Rasen.
WOYZECK Es pocht hinter mir, unter mir⌐ *stampft auf den*
15 *Boden* hohl, hörst du? Alles hohl da unten. Die Freimaurer!
ANDRES Ich fürcht mich.
WOYZECK S'ist so kurios still. Man möcht den Atem hal-
ten. Andres!
20 ANDRES Was?   ⌐ Regieanweisung
WOYZECK Red was! *Starrt in die Gegend.* Andres! Wie
⌐hell! ⌐Ein Feuer fährt um den Himmel und ein Getös
herunter wie Posaunen.⌐ Wie's heraufzieht! Fort. ⌐Sieh
nicht hinter dich.⌐ *Reißt ihn in's Gebüsch.*
25 ANDRES *nach einer Pause*: Woyzeck! hörst du's noch?
WOYZECK Still, Alles still, als wär die Welt tot.⌐ ⇐ Reim
ANDRES Hörst du? ⌐Sie trommeln⌐ drin. Wir müssen fort.

2 ⌜Marie⌝ mit ihrem ⌜Kind⌝ am Fenster. Margreth

⌜*Der Zapfenstreich geht vorbei*⌝, *der* ⌜*Tambourmajor*⌝
voran.

MARIE *das Kind wippend auf dem Arm:* He Bub! Sa ra ra
ra! Hörst? Da komme sie.   5

(hess.) was
für ein

MARGRETH Was ein* Mann, wie ein Baum.

MARIE Er steht auf seinen Füßen wie ein Löw.
Tambourmajor grüßt.

(hess.) was
für

MARGRETH Ei, was* freundliche Auge, Frau Nachbarin!
so was is man an Ihr nit gewöhnt.   10

MARIE *singt:*
⌜Soldaten das sind schöne Bursch⌝

MARGRETH Ihre Auge glänze ja noch.

MARIE Und wenn! Trag Sie Ihr Auge ⌜zum Jud⌝ und laß Sie
sie putze, vielleicht glänze sie noch, daß man sie für zwei 15
Knöpf verkaufe könnt.

MARGRETH Was Sie? Sie? Frau Jungfer, ich bin eine honet-

ehrbare,
anständige

te* Person, aber Sie, Sie guckt ⟨siebe⟩ Paar lederne Hose
durch!

MARIE Luder! *Schlägt das Fenster ⟨zu⟩.* Komm mein Bub. 20
Was die Leut wollen. Bist doch nur en arm Hurenkind
und machst deiner Mutter Freud mit deim unehrliche
Gesicht. Sa! Sa! *Singt:*
⌜Mädel, was fangst du jetzt an
Hast ein klein Kind und kein Mann.   25
Ei was frag ich danach
Sing ich die ganze Nacht
Heio popeio mein Bu. Juchhe!
Gibt mir kein Mensch nix dazu.⌝

⌜Hansel spann deine sechs Schimmel an   30
Gib ihn zu fresse auf's neu.

Kein Haber* fresse sie
Kein Wasser saufe sie
Lauter kühle Wein muß es sein. Juchhe
Lauter kühle Wein muß es sein.

Hafer

5   *Es klopft am Fenster.*

MARIE Wer da? Bist du's Franz? Komm herein!

WOYZECK Kann nit. Muß zum Verles*.

MARIE Was hast du Franz?

WOYZECK *geheimnisvoll:* Marie, es war wieder was, viel,
10 steht nicht gschrieben: und sieh da ging ein Rauch vom
Land, wie der Rauch vom Ofen? *Tautologie*

Appell beim
Militär, das
Verlesen der
Namen zur
Kontrolle
der An-
wesenheit

MARIE Mann!

WOYZECK Es ist hinter mir gegangen bis vor die Stadt.
Was soll das werden?

15 MARIE Franz!

WOYZECK Ich muß fort. *Er geht.*

MARIE Der Mann! So vergeistert. Er hat sein Kind nicht
angesehn. Er schnappt noch über mit den Gedanken.
Was bist so still, Bub? Furchst' dich? Es wird so dunkel,   *hessisch*
20 man meint, man wär blind. Sonst scheint d⟨och⟩ als* die   (hess.)
immer
Latern herein. *Geht ab.* Ich halt's nicht aus. Es schauert
mich.

3 Buden. Lichter. Volk

ALTER MANN ⟨mit⟩ *Kind, das tanzt.* ⟨Singt⟩:

25   Auf der Welt ist kein Bestand
            Wir müssen alle sterbe,
            das ist uns wohlbekannt!

⟨WOYZECK⟩ He! Hopsa! Arm Mann, alter Mann! Arm
Kind! Junges Kind! Hei Marie, soll ich dich trage? Ein
30 Mensch muß ... damit er esse kann. Narre-Welt! Schön
Welt!

AUSRUFER *an einer Bude:* Meine Herren, meine Damen,

hier sind zu sehn ⌈das astronomische Pferd⌉ und die kleine ⌈Kanaillevögele⌉, sind Liebling von alle Potentate* Europas und ⌈Mitglied von alle gelehrte Sozietät⌉; weissage de Leute Alles, wie alt, wie viel Kinder, was für Krankheit, schießt Pistol los, stellt sich auf ein Bein. ⌈Alles 5 Erziehung⌉, haben eine viehische Vernunft, oder vielmehr eine ganze vernünftige Viehigkeit, ist kei viehdummes Individuum wie viel Person, das verehrliche Publikum abgerechnet. H⟨erein!⟩ Es wird sein die ⌈räpräsentation⌉, das commencement* vom commencement wird sogleich 10 nehm sein Anfang.

Meine Herren! Meine Herren! Sehn Sie die Kreatur, wie sie Gott gemacht, nix, gar nix. Sehen Sie jetzt die Kunst, geht aufrecht, hat Rock und Hosen, hat ein Säbel! 15

Sehn Sie die Fortschritte der Zivilisation. Alles schreitet fort, ei Pferd, ei Aff, ei Kanaillevogel. Der Aff' ist schon ei Soldat, s'ist noch nit viel, unterst Stuf von menschliche Geschlecht!

Die räpräsentation anfangen! Man ⌈mackt⌉ Anfang von 20 Anfang.

WOYZECK Willst du?

MARIE Meinetwege. Das muß schön Dings sein. Was der Mensch Quasten* hat, und die Frau hat Hosen.

4 ⌈Unteroffizier⌉. Tambourmajor 25

⟨UNTEROFFIZIER⟩ Halt, jetzt. Siehst du sie! Was ein' Weibsbild!

TAMBOURMAJOR Teufel, zum Fortpflanz von Kürassierregimentern* und zur Zucht von Tambourmajors.

UNTEROFFIZIER Wie sie den Kopf trägt, man meint, das 30 schwarze Haar müsst ihn abwärts ziehn, wie ei Gewicht, und Aug, schwarz ...

regierende Fürsten

(franz.) Anfang

Troddeln an der Uniform

Reiterregimenter

TAMBOURMAJOR Als ob man in ein Ziehbrunn oder zu ein
Schornstei hinunteguckt. Fort hinte drein.

MARIE Was Lichte,

WOYZECK Ja . . ., ei groß schwarze Katze mit feurige Auge.
5 Hei, was'n Abend!

5 ⌐Das Innere der Bude⌐

AUSRUFER ⟨*mit dressiertem Pferd*⟩: Zeig' dein Talent! zeig
dein ⌐viehische Vernünftigkeit⌐! Bschäme die menschlich
Sozietät! Meine Herrn dies Tier, was Sie da sehn,
10 Schwanz am Leib, auf sei 4 Hufe ist Mitglied von alle
gelehrte Sozietät, ist Professor an unsre Universität wo
die Studente bei ihm reiten und schlage lernen*. Das
war einfacher Verstand! Denk jetzt ⌐mit der doppelten
raison⌐. Was machst du wann du mit der doppelten
15 Räson denkst? Ist unter der gelehrten société* da ein
Esel?
Der Gaul schüttelt den Kopf.
Sehn Sie jetzt die doppelte Räson! Das ist ⌐Vieh-
sionomik⌐. Ja das ist kei viehdummes Individuum, das
20 ist ein Person! Ei Mensch, ei tierische Mensch und doch
ei Vieh, ei bête*.
Das Pferd führt sich ungebührlich auf.
So bschäm die société! Sehn Sie ⌐das Vieh ist noch Natur
unverdorbe Natur⌐! Lern Sie bei ihm. Fragen Sie den
25 Arzt es ist höchst schädlich! Das hat geheiße ⌐Mensch
sei natürlich⌐, ⌐du bist geschaffe Staub, Sand, Dreck.
Willst du mehr sein als Staub, Sand, Dreck?⌐ Sehn Sie
was Vernunft*, es kann rechnen und kann doch nit an de
Finger herzählen, warum? Kann sich nur nit ausdrücke,
30 nur nit ⌐expliziern⌐, ist ein verwandl⟨t⟩er Mensch! Sag
den Herrn, wieviel Uhr es ist. Wer von den Herrn und
Dam hat ⌐ein Uhr, ein Uhr?⌐

Fechten
lernen; ge-
hörte zu den
Statusmerk-
malen von
Studenten

(franz.) Ge-
sellschaft

(franz.) Tier

(regional-
sprachl.)
welch eine
. . .

TAMBOURMAJOR Eine Uhr!⌐ *Zieht großartig und gemessen eine Uhr aus der Tasche.* Da mein Herr.
MARIE Das muß ich sehn. *Sie klettert auf den 1. Platz. Tambourmajor hilft ihr.*

6 Marie allein.

MARIE Der andre hat ihm befohlen und er hat gehn müsse. Ha! ⌐Ein Mann vor einem Andern.⌐

7 ⌐Der Hof des Professors⌐

Studenten ⟨und Doktor⟩ unten, der Professor am Dachfenster.

⌐⟨PROFESSOR⟩ Meine Herrn, ich bin auf dem Dach, ⌐wie David, als er die Bathseba sah⌐; aber ich sehe nichts als die culs de Paris* der Mädchenpension im Garten trocknen. Meine Herren ⌐wir sind an der wichtigen Frage über das Verhältnis des Subjektes zum Objekt, wenn wir nur eins von den Dingen nehmen, worin ⟨sich⟩ die organische ⌐Selbstaffirmation des Göttlichen⌐, auf einem der hohen Standpunkte manifestiert, und ihre Verhältnisse zum Raum, zur Erde, zum Planetarischen untersuchen, meine Herren, wenn ich diese Katze zum Fenster hinauswerf, wie wird diese Wesenheit sich zum centrum gravitationis* und dem eignen Instinkt verhalten?⌐ He Woyzeck, *brüllt:* Woyzeck!

WOYZECK Herr Professor sie beißt.

PROFESSOR Kerl, Er greift die Bestie so zärtlich an, als wär's Sei Großmutter.

WOYZECK Herr Doktor ich hab's ⌐Zittern⌐.

⌐DOKTOR *ganz erfreut:* Ei, Ei, schön Woyzeck. *Reibt sich*

(franz.) Pariser Hintern; modische Polster, die Frauen unter den Röcken trugen

(lat.) Zentrum der Erdanziehung

die Hände. Er nimmt die Katze. Was seh' ich meine
Herrn, die neue Species Hasenlaus, eine schöne Species,
wesentlich verschieden, enfoncé*, der Herr Doktor. *Er
zieht eine Loupe⌐ heraus.* Ricinus*, meine Herren –
5 *Die Katze läuft fort.*
Meine Herren, das Tier hat keinen wissenschaftlichen
Instinkt.
⟨PROFESSOR⟩ Ricinus, herauf, die schönsten Exemplare,
bringen Sie Ihre Pelzkragen!
10 ⟨DOKTOR⟩ Meine Herrn, ⌐Sie können dafür was andres sehen, sehn Sie⌐ der Mensch, ⌐seit einem Vierteljahr ißt er
nichts als Erbsen⌐, beackte* Sie die Wirkung, fühle Sie
einmal was ein ungleicher Puls, da und die Augen.
WOYZECK Herr Doktor es wird mir dunkel. *Er setzt sich.*
15 DOKTOR C o u r a g e, Woyzeck, noch ein Paar Tage, und
dann ist's fertig, fühlen Sie meine Herrn fühlen Sie
⌐*sie betasten ihm Schläfe, Puls und Busen*⌐
à propos, Woyzeck, ⌐beweg den Herren doch eimal die
Ohre, ich hab es Ihn schon zeigen wollen. Zwei Muskeln
20 sind bei ihm tätig. Allons* frisch!
WOYZECK Ach Herr Doktor!
DOKTOR Bestie, soll ich dir die Ohrn bewege, willst du's
machen wie die Katze. So meine Herrn, das sind so
Übergänge zum Esel⌐, häufig auch in Folge weiblicher
25 Erziehung, und die Muttersprache. Wieviel Haare hat
dir deine Mutter zum Andenken schon ausgerissen aus
Zärtlichkeit? Sie sind dir ja ganz dünn geworden, seit ein
Paar Tagen, ja die Erbsen, meine Herren.

(franz.) ein-
gegraben
(hier im Fell
der Katze)

(lat.) Zecke,
Holzbock

(westfäl.)
beachten,
vgl. Erl. zu
12.20 u.
15.18-24

(franz.) Los

8 ⌜Marie

sitzt, ihr Kind auf dem Schoß, ein Stückchen Spiegel in der Hand.

MARIE *bespiegelt sich:* Was die Steine glänze! Was sind's für? Was hat er gesagt? – Schlaf Bub! Drück die Auge zu, 5 fest,
das Kind versteckt die Augen hinter den Händen
noch fester, bleib so, still oder er holt dich. *Singt:*
> Mädel mach's Ladel zu
> 's kommt e Zigeunerbu 10
> Führt dich an deiner Hand
> Fort ins Zigeunerland.

Spiegelt sich wieder. S'ist gewiß Gold! Unsereins hat nur ein Eckchen in der Welt und ein Stückchen Spiegel und doch hab ich ein so rote Mund als die großen Madamen 15 mit ihren Spiegeln von oben bis unten und ihren schönen Herrn, die ihnen die Händ küssen; ich bin nur ein arm Weibsbild.⌝
Das Kind richtet sich auf.

Kinder-
schreck — Still Bub, die Auge zu, das Schlafengelchen*, wie's an der 20 Wand läuft *sie blinkt mit dem Glas* die Auge zu, oder es sieht dir hinein, daß du blind wirst.
Woyzeck tritt herein, hinter sie. Sie fährt auf mit den Händen nach den Ohren.

WOYZECK Was hast du? 25

MARIE Nix.

WOYZECK Unter deinen Fingern glänzt's ja.

MARIE Ein Ohrringlein; hab's gefunden.

WOYZECK Ich hab so noch nix gefunden. Zwei auf einmal.

(ugs.) für:
das Mensch,
Hure — MARIE Bin ich ein Mensch*? 30

WOYZECK S'ist gut, Marie. – Was der Bub schläft. Greif' ihm unter's Ärmchen, der Stuhl drückt ihn. Die hellen Tropfen steh'n ihm auf der Stirn; ⌜Alles Arbeit⌝ unter der

Sonn, sogar Schweiß im Schlaf. Wir arme Leut! Das is
wieder Geld Marie, die Löhnung und was von mein'm
Hauptmann.

MARIE Gott vergelt's Franz.

5 WOYZECK Ich muß fort. Heut abend, Marie. Adies.

MARIE *allein, nach einer Pause:* Ich bin doch ein schlecht
Mensch. Ich könnt' mich erstechen. – Ach! Was Welt?
Geht doch Alles zum Teufel, Mann und Weib.

9 ⌜Der Hauptmann⌝. Woyzeck

10 *Hauptmann auf einem Stuhl, Woyzeck rasiert ihn.*

HAUPTMANN Langsam, Woyzeck, langsam; ein's nach
dem andern; Er macht mir ganz schwindlich. Was soll
ich dann mit den zehn Minuten anfangen, die Er heut zu
früh fertig wird? Woyzeck, bedenk' Er, Er hat noch seine
15 schöne dreißig Jahr zu leben, dreißig Jahr! macht 360
Monate, und Tage, Stunden, Minuten! ⌜Was will Er denn
mit der ungeheuren Zeit all anfangen?⌝ Teil Er sich ein,
Woyzeck.

WOYZECK Ja wohl, Herr Hauptmann.

20 HAUPTMANN Es wird mir ganz angst um die Welt, wenn
ich an die Ewigkeit denke. Beschäftigung, Woyzeck, Beschäftigung! ewig das ist ewig, das ist ewig, das siehst du
ein; nun ist es aber wieder nicht ewig und das ist ein
Augenblick, ja, ein Augenblick. – Woyzeck, es schaudert
25 mich, wenn ich denk, daß sich die Welt in einem Tag
herumdreht, was'n Zeitverschwendung, wo soll das hinaus? Woyzeck, ich kann kein Mühlrad mehr sehn, oder
ich werd' melancholisch.

WOYZECK Ja wohl, Herr Hauptmann.

30 HAUPTMANN Woyzeck Er sieht immer so verhetzt* aus.   abgehetzt
Ein guter Mensch tut das nicht, ein guter Mensch, der

sein gutes Gewissen hat. – Red' Er doch was Woyzeck.
Was ist heut für Wetter?

WOYZECK Schlimm, Herr Hauptmann, schlimm; Wind

HAUPTMANN Ich spür's schon, s'ist so was Geschwindes
draußen; so ein Wind macht mir den Effekt wie eine 5
Maus. *Pfiffig:* Ich glaub' wir haben so was aus Süd-
Nord.

WOYZECK Ja wohl, Herr Hauptmann.

HAUPTMANN Ha! ha! ha! Süd-Nord! Ha! Ha! Ha! O Er ist
dumm, ganz abscheulich dumm. *Gerührt:* Woyzeck, Er 10
ist ein guter Mensch, ein guter Mensch – aber *mit Würde:* Woyzeck, ⌈Er hat keine Moral!⌉ Moral das ist wenn
man moralisch ist, versteht Er. Es ist ein gutes Wort. Er
hat ein Kind, ohne den Segen der Kirche, wie unser
hochehrwürdiger Herr Garnisonsprediger sagt, ohne 15
den Segen der Kirche, es ist nicht von mir.

WOYZECK Herr Hauptmann, der liebe Gott wird den armen Wurm nicht drum ansehn, ob das Amen drüber
gesagt ist, eh' er gemacht wurde. Der Herr sprach:
⌈Lasset die Kindlein zu mir kommen.⌉ 20

HAUPTMANN Was sagt Er da? Was ist das für 'ne kuriose
Antwort? Er macht mich ganz konfus mit Seiner Antwort. Wenn ich sag: Er, so mein ich Ihn, Ihn.

WOYZECK ⌈Wir arme Leut.⌉ Sehn Sie, Herr Hauptmann,
⌈Geld, Geld. Wer kein Geld hat. Da setz einmal einer 25
seinsgleichen auf die Moral⌉ in die Welt. Man hat auch
sein Fleisch und Blut. Unseins ist doch einmal unselig in
der und der andern Welt, ich glaub' wenn wir ⌈in Himmel kämen, so müßten wir donnern helfen⌉.

HAUPTMANN Woyzeck Er hat keine Tugend, Er ist kein 30
tugendhafter Mensch. Fleisch und Blut? Wenn ich am
Fenster lieg, wenn' es geregnet hat und den weißen
Strümpfen* so nachsehe, wie sie über die Gassen sprin-
gen, – verdammt Woyzeck, – da kommt mir die Liebe!
Ich hab auch Fleisch und Blut. Aber Woyzeck, die Tu- 35

Im Sinne
von: jungen
Frauen

18   Kombinierte Werkfassung

gend, die Tugend! Wie sollte ich dann die Zeit herumbringen? ich sag' mir immer du bist ein tugendhafter
Mensch, *gerührt:* ein guter Mensch, ein guter Mensch.

WOYZECK Ja Herr Hauptmann, die Tugend! ich hab's
noch nicht so aus. Sehn Sie, wir gemeinen* Leut, das ⌐einfachen⌐
hat ⌐keine Tugend, es kommt einem nur so die Natur,⌐
aber wenn ich ein Herr wär und hätt ein Hut und eine
Uhr und eine anglaise*, und könnt vornehm reden ich   Anzug nach
wollt schon tugendhaft sein. Es muß was Schöns sein um   engl. Zu-
die Tugend, Herr Hauptmann. Aber ich bin ein armer   schnitt
Kerl.

HAUPTMANN Gut Woyzeck. Du bist ein guter Mensch, ein
guter Mensch. Aber du denkst zuviel, das zehrt, du
siehst immer so verhetzt aus. Der Diskurs* hat mich   Gespräch
ganz angegriffen. Geh' jetzt und renn nicht so; langsam,
hübsch langsam die Straße hinunter.

10 Marie. Tambourmajor

TAMBOURMAJOR Marie!

MARIE *ihn ansehend, mit Ausdruck:* Geh' einmal vor dich
hin. – Über die Brust wie ein Stier und ein Bart wie ein
Löw... So ist keiner... Ich bin stolz vor allen Weibern.

TAMBOURMAJOR Wenn ich am Sonntag erst den großen
Federbusch hab' und die weißen Handschuh, Donner-
wetter, Marie, der Prinz sagt immer: Mensch, Er ist ein
Kerl.

MARIE *spöttisch:* Ach was! *Tritt vor ihn hin.* Mann!

TAMBOURMAJOR Und du bist auch ein Weibsbild, Sapperment*, wir wollen eine Zucht von Tambour-Major's an-   Kraftaus-
legen. He? *Er umfaßt sie.*   druck des
   Erstaunens
MARIE *verstimmt:* Laß mich!

TAMBOURMAJOR Wildes Tier.

MARIE ⌐*heftig:* Rühr mich an!⌐

TAMBOURMAJOR Sieht dir der Teufel aus den Augen?
MARIE Meintwegen. Es ist Alles eins.

11 Woyzeck. Der Doktor

DOKTOR Was erleb' ich, Woyzeck? Ein Mann von Wort.
WOYZECK Was denn Herr Doktor?   5
DOKTOR Ich hab's gesehn Woyzeck; Er hat auf Straß ge-
    pißt, an die Wand gepißt wie ein Hund. ⌈Und doch 2
    Groschen täglich.⌉ Woyzeck das ist schlecht. Die Welt
    wird schlecht, sehr schlecht.
WOYZECK Aber Herr Doktor, wenn einem ⌈die Natur   10
    kommt.
DOKTOR Die Natur kommt, die Natur kommt! Die Natur!
    Hab' ich nicht nachgewiesen, daß der musculus con-
(lat.) Blasen-   strictor vesicae* dem Willen unterworfen ist? Die Na-
schließ-   tur! Woyzeck, der Mensch ist frei⌉, in dem Menschen   15
muskel   verklärt sich die Individualität zur Freiheit. Den Harn
    nicht halten können! *Schüttelt den Kopf, legt die Hände
    auf den Rücken und geht auf und ab.* Hat Er schon Seine
    Erbsen gegessen, Woyzeck? – Es gibt eine Revolution in
    der Wissenschaft, ich sprenge sie in die Luft. ⌈Harnstoff,   20
    0,10, salzsaures Ammonium⌉, ⌈Hyperoxydul⌉.
    Woyzeck muß Er nicht wieder pissen? geh' Er einmal
    hinein und probier Er's.
WOYZECK Ich kann nit Herr Doktor.
DOKTOR *mit Affekt:* Aber auf die Wand pissen! Ich hab's   25
    schriftlich, den ⌈Akkord⌉ in der Hand. Ich hab's gesehn,
    mit diesen Augen gesehn, ich streckte grade die Nase
    zum Fenster hinaus und ließ die Sonnestrahlen hinein
    fallen, um das Niesen zu beobachten, *tritt auf ihn los.*
    Nein Woyzeck, ich ärgere mich nicht, Ärger ist unge-   30
    sund, ist unwissenschaftlich. Ich bin ruhig ganz ruhig,
    mein Puls hat seine gewöhnlichen 60 und ich sag's Ihm

mit der größten Kaltblütigkeit! Behüte wer wird sich
über einen Menschen ärgern, ein Menschen! Wenn es
noch ein ⌐proteus⌐ wäre, der einem krepiert! Aber Er
hätte doch nicht an die Wand pissen sollen –

5 WOYZECK Sehn Sie Herr Doktor, manchmal hat man so
'nen Charakter, so 'ne Struktur. – Aber mit der Natur
ist's was andres, sehn Sie mit der Natur *er kracht mit den
Fingern* das ist so was, wie soll ich doch sagen, z. B. –

DOKTOR Woyzeck, Er philosophiert wieder.

10 WOYZECK *vertraulich:* Herr Doktor habe Sie schon was
von der doppelten Natur* gesehn? Wenn die Sonn in
Mittag steht und es ist als ging die Welt im Feuer auf
hat schon eine fürchterliche Stimme zu mir gered!

DOKTOR Woyzeck, Er hat eine aberratio*.

15 WOYZECK *legt den Finger an die Nase:* Die Schwämme*
Herr Doktor. Da, da steckts. Haben Sie schon gesehn
⌐in was für Figurn⌐ die Schwämme auf dem Boden wachsen. ⌐Wer das lesen könnt.⌐

DOKTOR Woyzeck Er hat die schönste ⌐aberratio mentalis
20 partialis, zweite Species⌐, sehr schön ausgeprägt. Woyzeck Er kriegt Zulage. Zweite species, fixe Idee, mit allgemein vernünftigem Zustand, Er tut noch Alles wie
sonst, rasiert Sein Hauptmann?

WOYZECK Ja wohl.

25 DOKTOR Ißt Sei Erbse?

WOYZECK Immer ordentlich Herr Doktor. Das Geld für
die menage* kriegt die Frau.

DOKTOR Tut Sei Dienst,

WOYZECK Ja wohl.

30 DOKTOR Er ist ein interessanter casus*, Subjekt Woyzeck
Er kriegt Zulag. Halt Er sich brav. Zeig Er Sei Puls! Ja.

Vgl. die Ein-
gangsszene
und Erl. zu
13.13-14

(lat.)
Geistes-
störung

Pilze

(franz.) Ver-
pflegung für
die Soldaten

(lat.) Fall

12 Hauptmann. Doktor

HAUPTMANN Herr Doktor, die Pferde machen mir ganz
Angst; wenn ich denke, daß die armen Bestien zu Fuß
gehn müssen. Rennen Sie nicht so. Rudern Sie mit Ihrem
Stock nicht so in der Luft. Sie hetzen sich ja hinter dem   5
Tod drein. Ein guter Mensch, der sein gutes Gewissen
hat, geht nicht so schnell. Ein guter Mensch. *Er erwischt
den Doktor am Rock.* Herr Doktor erlauben Sie, daß ich
ein Menschenleben rette, Sie schießen ...
Herr Doktor, ich bin so schwermütig ich habe so was   10
⌐Schwärmerisches⌐, ich muß immer weinen, wenn ich
meinen Rock an der Wand hängen sehe, da hängt er.

DOKTOR Hm, aufgedunsen, fett, dicker Hals, apoplecti-
sche Constitution*. Ja Herr Hauptmann Sie könne eine
apoplexia cerebralis* krieche, Sie könne sie aber viel-   15
leicht auch nur auf der einen Seite bekomm, und dann
auf der einen gelähmt sein, oder aber Sie könne im besten Fall geistig gelähmt werden und nur fort vegtiern,
das sind so ongefähr Ihre Aussichte auf die nächste 4
Wochen. Übrigens kann ich Sie versichern, daß Sie eine   20
von den interessanten Fällen abgebe und wenn Gott
will, daß Ihre Zunge zum Teil gelähmt wird, so ⌐machen
wir die unsterblichsten Experimente⌐.

HAUPTMANN Herr Doktor erschrecken Sie mich nicht, es
sind schon Leute am Schreck gestorben, am bloßen hel-   25
len Schreck. – Ich sehe schon die Leute mit den ⌐Zitronen
in den Händen⌐, aber sie werden sagen er war ein guter
Mensch, ein guter Mensch – Teufel Sargnagel.

DOKTOR ⟨*hält seinen Hut hin*⟩: Was ist das Herr Hauptmann? das ist Hohlkopf   30

HAUPTMANN *macht eine Falte* ⟨*in den Hut*⟩: Was ist das
Herr Doktor, das ist Einfalt.

DOKTOR Ich empfehle mich, geehrtster Herr Exerzierza-
gel*.

Margin notes:

(lat.) Veran-
lagung zum
Schlaganfall

(lat.) Gehirn-
schlag

Zagel: Zopf.
Im 18. Jh.
trugen
Offiziere
Perücken
mit Zopf.

22

HAUPTMANN Gleichfalls, bester Herr Sargnagel.
⟨*Sie gehn auseinander. Woyzeck kommt, will eilig vorbei.*⟩
HAUPTMANN Ha Woyzeck, was hetzt Er sich so an mir
5 vorbei? Bleib Er doch Woyzeck. Er läuft ja wie ein offnes
Rasiermesser durch die Welt, man schneidt sich an Ihm,
Er läuft, als hätt Er ein Regiment Kosack zu rasiern und
würde gehenkt über dem letzten Haar nach einer Viertelstunde – aber, über die langen Bärte, was – wollt ich
10 doch sagen? Woyzeck – die lange Bärte –
DOKTOR Ein langer Bart unter dem Kinn, schon ⌐Plinius⌐
spricht davon, man muß es den Soldate abgwöhnen ...
HAUPTMANN *fährt fort:* Hä? über die lange Bärte? Wie is
Woyzeck hat Er noch nicht ein Haar aus einem Bart in
15 Seiner Schüssel gefunden? He Er versteht mich doch, ein
Haar von einem Menschen, vom Bart eins Sapeur*, eins
Unteroffizier, eins – eins Tambourmajor? He Woyzeck?
Aber Er hat eine brave Frau. Geht Ihm nicht wie andern.
WOYZECK Ja wohl! Was wollen Sie sage Herr Hauptmann?
20 HAUPTMANN Was der Kerl ein Gesicht macht! ... muß
nun auch nicht in de Suppe, aber wenn Er sich eilt und
um die Eck geht, so kann Er vielleicht noch auf e Paar
Lippen eins finde, ein Paar Lippen, Woyzeck, ich habe
auch das Lieben gefühlt, Woyzeck.
25 Kerl Er ist ja kreideweiß.
WOYZECK Herr, Hauptmann, ich bin ein armer Teufel, –
und hab sonst nichts – auf de Welt. Herr Hauptmann,
wenn Sie Spaß machen –
HAUPTMANN Spaß ich, daß dich Spaß, Kerl!
30 DOKTOR Den Puls Woyzeck, den Puls, klein, hart, hüpfend, ungleich.
WOYZECK Herr Hauptmann, die Erd ist hölleheiß, mir eiskalt, eiskalt, die Hölle ist kalt, wollen wir wetten. Unmöglich. Mensch! Mensch! unmöglich.
35 HAUPTMANN Kerl, will Er erschoß, will ⟨Er⟩ ein Paar Ku-

*(franz.) Pionier, Schanzsoldat

geln vor den Kopf hab⟨en?⟩ Er ersticht mich mit Sei
Auge, und ich mein es gut ⟨mit⟩ Ihm, weil Er ein guter
Mensch ist Woyzeck; ein guter Mensch.

DOKTOR Gesichtsmuskeln starr, gspannt, zuweilen hüpfend, Haltung aufgericht gspannt.

WOYZECK Ich geh! Es ist viel möglich. Der Mensch! Es ist
viel möglich. Wir habe schön Wetter Herr Hauptmann.
Sehn Sie so ein schön festen grauen Himmel, man könnte Lust bekomm, ein Kloben* hineinzuschlage und sich
daran zu hänge, nur wege des Gedankstrichels zwischen
Ja und nein ja – und nein, Herr Hauptmann ja und nein?
Ist das nein am ja oder das ja am nein Schuld? Ich will
drüber nachdenken, *geht mit breiten Schritten ab erst
langsam dann immer schneller.*

DOKTOR *schießt ihm nach:* Phänomen, Woyzeck, Zulag.

HAUPTMANN Mir wird ganz schwindlich, von den Mense-
sche, wie schnell, der lange Schlegel* greift aus, als läuft
der Schatten von einem Spinnbein, und der Kurze, das
zuckelt. Der Lange ist der Blitz und der Kleine der Donner. Haha, hinterdrein. Das hab' ich nicht gern! ein guter
Mensch ist dankbar und hat sein Leben lieb, ein guter
Mensch hat keine courage nicht! ein Hundsfott* hat
courage! Ich bin bloß in Krieg gegangen um mich in
meiner Liebe zum Leben zu befestigen ... von da zur
courage, wie man zu son Gedanken kommt, ⌐grotesk!⌐
grotesk!

13 Marie. Woyzeck

WOYZECK *sieht sie starr an, schüttelt den Kopf:* Hm! Ich
seh nichts, ich seh nichts. O, man müßt's sehen: man
müßt's greifen können mit Fäusten.

MARIE *verschüchtert:* Was hast du Franz? Du bist hirn-
wütig. Franz.

Holzkeil
zum Fest-
klemmen

Stock; im
übertr. Sinn:
langer Kerl

Schurke

WOYZECK Eine Sünde so dick und so breit. (Es stinkt daß
man die Engelchen zum Himmel hinaus räuchern
könnt.) Du hast ein roten Mund, Marie. Kein Blasen
drauf? Adie, Marie, du bist schön wie die Sünde. – Kann
die Todsünde so schön sein?

MARIE Franz, du red'st in Fieber.

WOYZECK Teufel! – Hat er da gestande, so, so?

MARIE Dieweil der Tag lang und die Welt alt ist, könn
viel Mensche an eim Platz stehn, einer nach dem andern.

WOYZECK Ich hab ihn gesehn.

MARIE Man kann viel sehn, wenn man 2 Augen hat und
man nicht blind ist und die Sonn scheint.

WOYZECK Wirst ⟨sehn⟩.

MARIE *keck:* Und wenn auch.

14 Die Wachtstube

Woyzeck. Andres

ANDRES *singt:* ⌈Frau Wirtin hat 'ne brave Magd
              Sie sitzt im Garten Tag und Nacht
              Sie sitzt in ihrem Garten ...

WOYZECK Andres!

ANDRES Nu?

WOYZECK Schön Wetter.

ANDRES Sonntagsonnwetter, und Musik vor der Stadt.
Vorhin sind die Weibsbilder hin, die Mensche dämpfe*,   schwitzen
das geht.

WOYZECK *unruhig:* Tanz, Andres, sie tanze.

ANDRES Im Rössel und im Sterne.

WOYZECK Tanz, Tanz.

ANDRES Meinetwege.
       Sie sitzt in ihrem Garten

bis daß das Glöcklein zwölfe schlägt
wartet   Und paßt* auf die Solda – aten.⌐

WOYZECK Andres, ich hab kein Ruh.

ANDRES Narr!

WOYZECK Ich muß hinaus. Es dreht sich mir vor den   5
Augen. Was sie heiße Händ habe. Verdammt Andres!

ANDRES Was willst du?

WOYZECK Ich muß fort.

ANDRES Mit dem Mensch.   10

WOYZECK Ich muß hinaus, s'ist so heiß da hin.

15 Wirtshaus

Die Fenster offen, Tanz. Bänke vor dem Haus.
Burschen

ERSTER HANDWERKSBURSCH   15
⌐Ich hab ein Hemdlein an
Das ist nicht mein
Meine Seele stinkt nach Brandewein, –⌐

ZWEITER HANDWERKSBURSCH Bruder, soll ich dir aus
Freundschaft ein Loch in die Natur mache? Verdammt.   20
Ich will ein Loch in die Natur machen. Ich bin auch ein
Kerl, du weißt, ich will ihm alle Flöh am Leib tot
schlage.

ERSTER HANDWERKSBURSCH Meine Seele, meine Seele
stinkt nach Brandewein. – Selbst das Geld geht in Ver-   25
wesung über. Vergißmeinicht! Wie ist diese Welt so
schön. Bruder, ich muß ein Regenfaß voll greinen. Ich
(franz.)   wollt unse Nase wärn zwei Bouteille* und wir könnte sie
Flasche   uns einande in de Hals gießen.

Woyzeck stellt sich an's Fenster. Marie und der Tam-   30
bourmajor tanzen vorbei, ohne ihn zu bemerken.

DIE ANDERN *im Chor:*
⌐Ein Jäger aus der Pfalz⌐,
Ritt einst durch einen grünen Wald,
Halli, halloh, gar lustig ist die Jägerei
5   Allhier auf grüner Heid
Das Jagen ist mei Freud.

MARIE *im Vorbeitanz:* Immer, zu, immer zu

WOYZECK *erstickt:* ⌐Immer zu – immer zu!⌐ *Fährt heftig auf*
und sinkt zurück auf die Bank immer zu immer zu
10   *schlägt die Hände ineinander.* Dreht euch, wälzt euch.
⌐Warum blast Gott nicht ⟨die⟩ Sonn aus⌐, daß Alles ⌐in
Unzucht sich übernander wälzt⌐, Mann und Weib,
Mensch und Vieh. Tut's am hellen Tag, tut's einem auf
den Händen, wie die Mücken. – Weib. – Das Weib ist
15   heiß, heiß! – Immer zu, immer zu. *Fährt auf.* Der Kerl!
Wie er an ihr herumtappt, an ihrm Leib, er hat sie wie i –
zu Anfang.

ERSTER ⌐HANDWERKSBURSCH *predigt*⌐ *auf dem Tisch:* Jedoch wenn ein Wandrer, der gelehnt steht an den Strom
20   der Zeit oder aber sich die göttliche Weisheit beantwortet und sich anredet: ⌐Warum ist der Mensch? Warum ist
der Mensch? – Aber wahrlich ich sage euch, von was
hätte der Landmann, der Weißbinder*, der Schuster, der   (hess.) An-
Arzt leben sollen, wenn Gott den Menschen nicht   streicher
25   gschaffen hätte? Von was hätte der Schneider leben sollen, wenn er dem Menschen nicht die Empfindung, der
Scham eingepflanzt, von was der Soldat, wenn er ihn
nicht mit dem Bedürfnis sich totzuschlagen ausgerüstet
hätte.⌐ Darum zweifelt nicht, ja ja, es ist lieblich und fein,
30   aber Alles Irdische ist eitel, selbst das Geld geht in Verwesung über. – Zum Beschluß, meine geliebten Zuhörer,
laßt uns noch ⌐über's Kreuz pissen, damit ein Jud stirbt⌐.

16 Freies Feld

Woyzeck

Immer zu! immer zu! Still. Musik. – *Reckt sich gegen den Boden.* He was, ⌐was sagt ihr? Lauter, lauter, stich, stich die ⌐Zickwolfin⌐ tot? stich, stich die Zickwolfin tot. 5 Soll ich? Muß ich? Hör ich's da auch, sagt's der Wind auch? Hör ich's immer, immer zu, stich tot, tot.⌐

17 ⌐Nacht⌐

Andres und Woyzeck in einem Bett.

WOYZECK *schüttelt Andres:* Andres! Andres! ich kann nit 10
    schlafe, wenn ich die Aug zumach, dreh't sich's immer
    und ich hör die Geigen, immer zu, immer zu. Und dann
    sprichts aus der Wand, hörst du nix?
ANDRES Ja, – laß sie tanze! Gott behüt uns, Amen.
    Schläft wieder ein. 15
WOYZECK Es zieht mir ⌐zwischen de Auge wie ein Messer⌐.
ANDRES Du mußt Schnaps trinke und Pulver drein, das
    schneidt das Fieber.

18 ⌐Kasernenhof⌐

WOYZECK Hast nix gehört? 20
ANDRES Er ist da vorbei mit einem Kamraden.
WOYZECK Er hat was gesagt.
ANDRES Woher weißt dus? Was soll ich sage. Nu er lachte
    und dann sagte er ein köstlich Weibsbild! Die hat Schen-
    kel und Alles so fest! 25

WOYZECK *ganz kalt:* So hat er das gesagt?
    Von was hat mir doch heut Nacht geträumt? War's nicht
    von eim Messer? Was man doch närrische Träume hat.
ANDRES Wohin Kamrad?
5 WOYZECK Meim ⌐(Hauptmann)⌐, Wein hole. – Aber An-
    dres, sie war doch ein einzig Mädel.
ANDRES Wer war?
WOYZECK Nix. Adies.

19 ⌐Wirtshaus⌐

10 *Tambourmajor, Woyzeck, Leute*

TAMBOURMAJOR Ich bin ein Mann! *schlägt sich auf die
    Brust* ein Mann sag' ich. Wer will was? Wer kein bsoffe
    Herrgott ist der laß sich von mir*. Ich will ihm die Nas
    ins Arschloch prügeln. Ich will – *zu Woyzeck:* da Kerl,
15 sauf. Der Mann muß saufen ich wollt die Welt wär
    Schaaps, Schnaps.
WOYZECK *pfeift.*
TAMBOURMAJOR Kerl, soll ich dir die Zung aus dem Hals
    ziehn und sie um den Leib herumwickle?
20 *sie ringen, Woyzeck verliert*
    soll ich dir noch soviel Atem lassen als ein Altweiber-
    furz, soll ich?
WOYZECK *setzt sich erschöpft zitternd auf die Bank.*
TAMBOURMAJOR
25   ⌐Der Kerl soll dunkelblau pfeifen.⌐ Ha.
    Brandewein das ist mein Leben
    Brandwein gibt courage!
EINE Der hat sei Fett.
ANDRE Er blut.
30 WOYZECK ⌐Eins nach dem andern.⌐

Gewalt-
androhung

20 Woyzeck. ⌐Der Jude⌐

WOYZECK Das Pistolche is zu teuer.

JUDE Nu, kauft's oder kauft's nit, was is?

WOYZECK Was kost ⌐das Messer⌐.

JUDE S'ist ganz, grad. Wollt Ihr Euch den Hals mit ab- 5
schneide, nu, was is es? Ich geb's Euch so wohlfeil wie
ein' andern, Ihr sollt Euern Tod wohlfeil habe, aber doch

Hier: preis-
werten
nit umsonst. Was is es? Er soll en ökonomischen* Tod
habe.

WOYZECK Das kann mehr als Brot schneiden. 10

JUDE Zwe Grosche.

WOYZECK Da! *geht ab.*

JUDE Da! Als ob's nichts war. Und es is doch Geld. Der
Hund.

21 Marie. ⟨Das Kind. ⌐Karl⌐⟩ 15

MARIE *blättert in der Bibel:* Und ist ⌐kein Betrug in seinem
Munde erfunden ... Herrgott. Herrgott!⌐ Sieh mich

Angehörige
gesetzes-
strenger alt-
jüd. Glau-
bensge-
meinschaft
nicht an. *Blättert weiter:* ... ⌐aber die Pharisäer* brachten ein Weib zu ihm, im Ehebruche begriffen und stelleten sie in's Mittel dar. – Jesus aber sprach: so verdamme 20
ich dich auch nicht. Geh hin und sündige hinfort nicht
mehr.⌐ *Schlägt die Hände zusammen.* Herrgott! Herrgott! ⌐Ich kann nicht.⌐ Herrgott gib mir nur soviel, daß
ich beten kann.

Das Kind drängt sich an sie. 25

Das Kind gibt mir einen Stich in's Herz. ⟨*Zu Karl vor*

wärmt sich
ihren Füßen⟩: Fort! Das bäht sich* in der Sonne!

KARL *liegt und erzählt sich Märchen an den Fingern:* ⌐Der
hat die goldne Kron, der Herr König. Morgen hol' ich
der Frau Königin ihr Kind. Blutwurst sagt: komm 30
Leberwurst⌐ *er nimmt das Kind und wird still.*

MARIE Der Franz is nit gekomm, gestern nit, heut nit, ⌜es wird heiß hier *sie macht das Fenster auf* ...⌝ ⌜Und trat hinein zu seinen Füßen und weinete und fing an seine Füße zu netzen mit Tränen und mit den Haaren ihres Hauptes zu trocknen und küssete seine Füße und salbete sie mit Salben.⌝ *Schlägt auf die Brust.* Alles tot! Heiland, Heiland ich möchte dir die Füße salben.

22 ⌜Kaserne⌝

Andres, Woyzeck, kramt in seinen Sachen.

WOYZECK Das Kamisolchen*, Andres, ist nit zur Mon-tour*, du kannst's brauchen Andres. Das Kreuz is mei Schwester und das Ringlein, ich hab auch noch ⌜ein Hei-ligen, zwei Herzen und schön Gold⌝, es lag in meiner Mutter Bibel, und da steht:

> ⌜Leiden sei all mein Gewinst,
> Leiden sei mein Gottesdienst,
> Herr, wie dein Leib war rot und wund,
> So laß mein Herz sein aller Stund.⌝

Mei Mutter fühlt nur noch, wenn ihr die Sonn auf die Händ scheint. Das tut nix.

ANDRES *ganz starr, sagt zu Allem:* Ja wohl

WOYZECK *zieht ein Papier heraus:* ⌜Friedrich Johann Franz⌝ Woyzeck, geschworner Füsilier* im 2. Regiment, 2. Ba-taillon 4. Compagnie, ⌜geboren ...⌝ ich bin heut ⌜Mariae Verkündigung⌝ den 20. Juli alt 30 Jahr 7 Monat und 12 Tage.

ANDRES Franz, du kommst in's Lazarett. Armer du mußt Schnaps trinke und Pulver drei das töt das Fieber.

WOYZECK Ja Andres, wann der Schreiner die Hobelspän sammelt, es weiß niemand, wer sein Kopf drauf lege wird.

Unterzieh-jäckchen

(franz.) Dienstklei-dung, Uni-form

Vereidigter einfacher Soldat

MÄDCHEN ⟨*singen*⟩:
⌜Wie scheint die Sonn ⌜St. Lichtmeßtag⌝
Und steht das Korn im Blühn.
Sie ginge wohl die Straße hin   5
Sie ginge zu zwei und zwein
Die Pfeifer ginge vorn
Die Geiger hinter drein.
Sie hatte rote ...⌝

ERSTES KIND S'ist nit schön.   ANDERE *abwechselnd*   10
ZWEITES KIND Was willst du   *dazwischen:*
auch immer.   Warum?
ERSTES KIND Was hast zuerst   Darum?
angefange.   Aber warum darum?
ZWEITES KIND Ich kann nit.   15
ANDERES Es muß sing.
KINDER Marieche sing du uns.
MARIE Kommt ihr klei Krabben!
Ringle, ringel Rosekranz,
⌜König Herodes⌝.   20
⌜Großmutter erzähl!⌝

GROSSMUTTER ⌜Es war einmal ⌜ein arm Kind⌝ und hat kei
Vater und kein Mutter war Alles tot und war Niemand mehr auf der Welt. Alles tot, und es ist hingan-
gen und hat gerrt* Tag und Nacht. Und wie auf der   25
Erd Niemand mehr war, wollt's ⌜in Himmel gehn, und
der Mond guckt es so freundlich an und wie's endlich
zum Mond kam, war's ein Stück faul Holz und da ist
es zur Sonn⌝ gangen und wie's zur Sonn kam, war's ein
verwelkt Sonneblum und wie's zu den Sterne kam,   30
warn's klei golde Mücke, die warn angesteckt wie
der Neuntöter* sie auf die Schlehe steckt und wie's
wieder auf die Erd wollt, war die Erd ein umgestürzter
Hafen* und war ganz allein und da hat sich's hinge-

(hess.; von gerren) ge-weint

Vogel, der Insekten als Nahrungs-vorrat auf Dornen (Schlehdorn) spießt

(oberdt.) Topf, auch Nachttopf

setzt und gerrt und da sitzt' es noch und ist ganz allein.⌐

WOYZECK Marie!

MARIE *erschreckt:* Was ist

5 WOYZECK Marie ⌐wir wolln gehn⌐ s'ist Zeit.

MARIE Wohinaus

WOYZECK Weiß ich's?

24 Marie und Woyzeck

MARIE Also dort hinaus ist die Stadt, s'ist Finster.

10 WOYZECK Du sollst noch bleiben. Komm setz dich.

MARIE Aber ich muß fort.

WOYZECK Du würdst dir die Füße nicht wund laufen.

MARIE Wie bist du denn auch!

WOYZECK ⌐Weißt du auch wie lang es jetzt ist Marie?

15 MARIE Um Pfingsten 2 Jahr.

WOYZECK Weißt du auch wie lang es noch sein wird?⌐

MARIE Ich muß fort, der Nachttau fallt.

WOYZECK Friert's dich Marie, und doch bist du warm. Was du heiße Lippen hast! heiß, heißn Hurenatem

20 und doch möcht' ich den Himmel gebe ⌐sie noch einmal zu küssen ...⌐ und wenn man kalt ist, so friert man nicht mehr. Du wirst vom Morgentau nicht friern.

MARIE Was sagst du?

25 WOYZECK Nix.

Schweigen.

MARIE Was ⌐der Mond rot auf geht.

WOYZECK Wie ein blutig Eisen.⌐

MARIE Was hast du vor? Franz, du bist so blaß. ⟨*Er greift*

30 *zum Messer.*⟩ Franz halt. Um des Himmels w⟨illen⟩, Hü – Hülfe

WOYZECK Nimm das und das! Kannst du nicht sterbe. So!

so! Ha sie zuckt noch, noch nicht noch nicht? Immer
noch? *stößt ⟨noch einmal⟩ zu.*
Bist du tot? Tot! Tot!
Es kommen Leute.
⌈*⟨Er läßt das Messer fallen und⟩ läuft weg.*⌉   5

25 ⌈Es kommen Leute⌉

ERSTE PERSON Halt!
ZWEITE PERSON Hörst du? Still! Dort
ERSTE PERSON Uu! Da! Was ein Ton.
ZWEITE PERSON Es ist das Wasser, es ruft, schon lang ist   10
Niemand ertrunken. Fort, s'ist nicht gut, es zu hören.
ERSTE PERSON Uu, jetzt wieder. Wie ein Mensch der stirbt.
ZWEITE PERSON Es ist unheimlich, so düftig – halb Nebel,
grau und das Summen der Käfer, wie gesprungne Glok-
ken. Fort!   15
ERSTE PERSON Nein, zu deutlich, zu laut. Da hinauf.
Komm mit.

26 Das Wirtshaus

WOYZECK Tanzt alle, immer zu, schwitzt und stinkt, er
holt euch doch einmal Alle. *Singt:*   20
   ⌈Frau Wirtin hat 'ne brave Magd
   Sie sitzt im Garten Tag und Nacht
   Sie sitzt in ihrem Garten
   Bis daß das Glöcklein zwölfe schlägt
   Und paßt auf die Soldaten.⌉   25
Er tanzt. So Käthe! setz dich! Ich hab heiß! heiß *er zieht
den Rock aus* es ist eimal so, de Teufel holt die eine und
läßt die andre laufen. Käthe du bist heiß! Warum denn

Kombinierte Werkfassung

Käthe du wirst auch noch kalt werden. Sei vernünftig.
Kannst du nicht singe?

⟨KÄTHE *singt:*⟩

⌐Ins Schwabeland das mag ich nicht,
5   Und lange Kleider trag ich nicht
         Denn lange Kleider, spitze Schuh,
         die komm kein Dienstmagd zu.⌐

⟨WOYZECK⟩ Nein, kei Schuh, man kann auch ohne Schuh
in die Höll gehn.

10 ⟨KÄTHE⟩ ⌐O pfui mein Schatz das war nicht fein.
                  Behalt dei Taler und schlaf allein.⌐

⟨WOYZECK⟩ Ja wahrhaftig, ich möchte mich nicht blutig
mache.

KÄTHE Aber was hast du an dei Hand?

15 WOYZECK Ich? Ich?

KÄTHE Rot! Blut.

Es stellen sich Leute um sie.

WOYZECK Blut? Blut?

WIRT Uu Blut.

20 WOYZECK Ich glaub ich hab' mich geschnitte, da an die
rechte Hand.

WIRT Wie kommt's aber an de Ellenbog?

WOYZECK Ich hab's abgewischt.

WIRT Was mit der rechten Hand an de rechte Ellboge? Ihr
25 seid geschickt.

KARL Und da hat der Riese gesagt: ich riech, ich riech, ⌐ich
riech Menschefleisch⌐. Puh. Der stinkt schon.

WOYZECK Teufel, was wollt ihr? Was geht's euch an?
Platz! oder der erste
30 Teufel! Meint ihr ich hätt Jemand umgebracht? Bin ich
Mörder? Was gafft ihr! Guckt euch selbst an. Platz da.
Er läuft hinaus.

27 Woyzeck *allein*.

⟨WOYZECK⟩ Das Messer? Wo ist das Messer? Ich hab' es da
gelasse. Es verrät mich! Näher, noch näher! Was ist das
für ein Platz? Was höre ich? Es rührt sich was. Still. Da
in der Nähe.
Marie? Ha Marie! Still. Alles still! Da liegt was! kalt,
naß, stille. Weg von dem Platz. Das Messer, das Messer
hab ich's? So! Leute – Dort. *Er läuft weg.*

28 Woyzeck an einem Teich

⟨WOYZECK⟩ So, da hinunter! *Er wirft das Messer hinein.* Es
taucht in das dunkle Wasser, wie Stein! Der Mond ist
wie ein blutig Eisen! Will denn die ganze Welt es aus-
plaudern? Nein es liegt zu weit vorn, wenn sie sich bade,
er geht in den Teich und wirft weit so jetzt aber im
Sommer, wenn sie tauchen nach Muscheln, bah es wird
rostig! Wer kann's erkennen. Hätt' ich es zerbroche! Bin
ich ⌐noch blutig? ich muß mich wasche. Da ein Fleck⌐
und da noch einer.

29 Kinder

ERSTES KIND Fort. Mariechen
ZWEITES KIND Was is.
ERSTES KIND Weißt du's nit? Sie sind schon alle hinaus.
Drauß liegt eine!
ZWEITES KIND Wo?
ERSTES KIND Links über die Lochschanz in dem Wäldche,
am roten Kreuz.
ZWEITES KIND Fort, daß wir noch was sehen. Sie tragen⟨'s⟩
sonst hinein.

30 ⟨Karl.⟩ Das Kind. Woyzeck

KARL *hält das Kind vor sich auf dem Schoß:* ⌈Der is ins Wasser gefallen, der is ins Wasser gefalle, nein, der is in's Wasser gefalle.

5 WOYZECK Bub, ⌈Christian⌉,

KARL *sieht ihn starr an:* Der is in's Wasser gefalle.

WOYZECK *will das Kind liebkosen,*
(es wendet sich weg und schreit):
Herrgott!

10 KARL Der is in's Wasser gefalle.⌉

WOYZECK Christianche, du bekommst en Reuter*, sa sa.
Das Kind wehrt sich.
Zu Karl: Da kauf dem Bub en Reuter.

KARL *sieht ihn starr an.*

15 WOYZECK ⌈Hop! hop! Roß.

KARL *jauchzend:* Hop! hop! Roß! Roß⌉ *läuft mit dem Kind weg.*

(hess.) Reiter, Bezeichnung für eine Art Lebkuchen

31 ⌈Gerichtsdiener. Barbier. Arzt. Richter⌉

⟨GERICHTSDIENER⟩ ⌈Ein guter Mord, ein ächter Mord, ein
20   schön Mord, so schön als man ihn nur verlangen tun
kann wir haben schon lange so kein gehabt. –⌉

Woyzeck

Die Entstehungsstufen

Vollständiger Textbestand

⟨Teilentwurf 1⟩

Buden. Volk. ⟨1,1⟩

MARKTSCHREI⟨ER⟩ *vor einer Bude:* Meine Herren! Meine
Herren! Sehn sie die Kreatur, wie sie Gott gemacht, nix,
5 gar nix. Sehen Sie jetzt die Kunst, geht aufrecht hat Rock
und Hosen, hat ein Säbel! Ho! Mach Kompliment! So
bist brav. Gieb Kuß! *Er trompete⟨t⟩.* Michl ist musi-
kalisch. Meine Herren hier ist zu sehen das astronomische Pferd und die kleine Kanaillevögele. Ist favo⟨r⟩i von
10 alle gekrönte Häupter. Die räpräsentation anfangen!
Man mackt Anfang von Anfang. Es wird sogleich seyn
das commence⟨me⟩nt von commence⟨me⟩nt
SOLDAT Willst du?
MAGRETH Meinetwege. Das muß schön Dings seyn. Was
15 der Mensch Quasten hat und die Frau hat Hosen.

Das Innere der Bude. ⟨1,2⟩

MARKTSCHREIER Zeig' dein Talent! zeig dein viehische
Vernünftigkeit! Bschäme die menschlich Societät! Meine Herrn dieß Thier, was sie da sehn, Schwanz am Leib,
20 auf sei 4 Hufe ist Mitglied von alle gelehrte Societät, ist
Professor an unsre Universität wo die Studente bey ihm
reiten und schlage lernen. Das war einfacher Verstand!
Denk jetzt mit der doppelten raison. Was machst du
wann du mit der doppelten Räson denkst? Ist unter d.
25 gelehrten société da ein Esel? *D. Gaul schüttelt d. Kopf.*
Sehn sie jetzt die doppelte Räson! Das ist Viehsionomik.
Ja das ist kei viehdummes Individuum, das ist ein Person!
Ei Mensch, ei thierische Mensch und doch ei Vieh, ei
bête. *Das Pferd führt sich ungebührlich auf.* So bschäm
30 die société! Sehn sie das Vieh ist noch Natur unverdorbe

Natur! Lern Sie bey ihm. Fragen sie den Arzt es ist höchst schädlich! Das hat geheiße Mensch sey natürlich, du bist geschaffe Staub, Sand, Dreck. Willst du mehr seyn als Staub, Sand, Dreck? Sehn sie was Vernunft, es kann rechnen und kann doch nit an de Finger herzählen, war- um? Kann sich nur nit ausdrücke, nur nit explicirn, ist ein verwandler Mensch! Sag den Herrn, wieviel Uhr es ist. Wer von den Herrn und Dam hat ein Uhr, ein Uhr?

UNTEROFFICIER Eine Uhr! *Zieht großartig und gemessen eine Uhr aus d. Tasche.* Da mein Herr. (Das ist ei Weibs- bild guckt siebe Paar leede⟨rne⟩ Hose durch.)

MAGRETH Das muß ich sehn. *Sie klettert auf den 1. Platz. Unterofficier hilft ihr.*

UNTEROFFICIER +

⟨Abgebrochener Ansatz, restliches Viertel der Seite frei.⟩

Magreth *allein.* ⟨1,3⟩

MAGRETH Der andre hat ihm befohlen und er hat gehn müsse. Ha! Ein Mann vor einem Andern.

⟨Szene allem Anschein nach versehentlich mit durchgestri- chen bei Streichung der folgenden.⟩

Der Kasernenhof. ⟨1,4⟩

Andres. Louis.

ANDRES *singt:*
    Frau Wirthin hat ne brave Magd
    Sie sitzt im Garten Tag und Nacht
    Sie sitzt in ihrem Garte

Biß daß das Glöcklei zwölfe schlägt
Und paßt auf die Soldate.

LOUIS Ha Andres, ich hab kei Ruh!
ANDRES Narre!
5 LOUIS Was weißt du? So red doch.
ANDRES Nu?
LOUIS Was glaubst du wohl, daß ich hier bin?
ANDRES Weils schön Wetter ist und sie heut tanze.
LOUIS Ich muß fort, muß sehen!
10 ANDRES Was willst du?
LOUIS Hinaus!
ANDRES Du Unfriede wege des Menschs
LOUIS Ich muß fort.

⟨Szene gestrichen, verarbeitet in 3,10.⟩

15 Wirthshaus.   ⟨1,5⟩

Die Fenster sind offen. Man tanzt.
Auf der Bank vor dem Haus.

LOUIS *lauscht am Fenster:* Er – Sie! Teufel! *Er setzt sich*
zitternd nieder. Er geht ⟨w⟩ieder an's Fenster. Wie das
20 geht! Ja wälzt Euch übernander! Und Sie: immer, zu –
immer zu.
DER NARR Puh! Das riecht.
LOUIS Ja das riecht! Sie hat rothe, rothe Backe und
wa⟨r⟩um riecht sie schon? Karl, was witterst du so?
25 DER NARR Ich riech, ich riech Blut.
LOUIS Blut? Warum wird es mir so roth vor den Auge! Es
ist mir als wälzten sie sich in einem Meer von Blut, all
mitnander! Ha rothes Meer.

⟨Szene gestrichen, verarbeitet in 3,11.⟩

Freies Feld. ⟨1,6⟩

LOUIS Immer! zu! – Immer zu! – Hisch! hasch, so ziehn die
   Geigen und die Pfeifen. – Immer zu! immer zu! Was
   spricht da? Da unten aus dem Boden hervor, ganz leise
   was, was. *Er bückt sich nieder.* Stch. Stiech. Stiech die 5
   Woyzecke todt. Stiech, stich die Woyzecke todt. Immer
   Wo⟨yzecke⟩! das zischt und wimmert und donnert.

⟨Szene gestrichen, verarbeitet in 3,12.⟩

Ein Zimmer. ⟨1,7⟩

Louis und Andres. 10

ANDRES Hee!
LOUIS Andres!
ANDRES *murmelt im Schlaf.*
LOUIS He Andres!
ANDRES Na, was is? 15
LOUIS Ich hab kei Ruh, ich hör's immer, wies geigt und
   springt, immer zu! immer zu! Und dann wann ich die
   Augen zumach, da blitzt es mir immer, es ist ei großes
   breit Messer und das ligt auf eim Tisch am Fenster und
   ist in einer dunkeln Gaß und ein alter Mann sitzt dahin- 20
   ter. Und das Messer ist mir immer zwischen den Augen.
ANDRES Schlaf Narr!

⟨Szene gestrichen, verarbeitet in 3,13.⟩

Kasern⟨en⟩hof. ⟨1,8⟩

LOUIS Hast nix gehört⟨?⟩
ANDRES Er ist da vorbey mit einem Kamraden.
LOUIS Er hat was gesagt.
5 ANDRES Woher weißt dus? Was soll ich sage. Nu er lachte
und dann sagte er ein köstlich Weibsbild! Die hat Schen-
kel und Alles so fest!
LOUIS *ganz kalt:* So hat er das gesagt?
Von was hat mir doch heut Nacht geträumt? War's nicht
10 von eim Messer? Was man doch närrische Träume hat.
ANDRES Wohin Kamrad?
LOUIS Meim Officier, Wein hole. – Aber Andres, sie war
doch ein einzig Mädel.
ANDRES Wer war?
15 LOUIS Nix, Adies.

Der Officier, Louis. ⟨1,9⟩

LOUIS *allein:* Was hat er gesagt? So? – Ja es ist noch nicht
aller Tag Abend.

⟨Szene möglicherweise versehentlich mit durchgestrichen
20 bei Streichung der folgenden.⟩

Ein Wirthshaus. ⟨1,10⟩

Barbier. Unterofficier

BARBIER   Ach Tochter, liebe Tochter
               Was hast du gedenkt,
25   Daß du dich an die Landkutscher
               die Fuhrleut hast gehängt. –

Was kann der liebe Gott nicht. was? Das Geschehne
ungeschehn mache. Hä hä hä! – Aber es ist eimal so,
und es ist gut, daß es so ist. Aber besser ist besser. *Singt:*

     Branntewei das ist mei Leben

     Branntewei gibt Courage   5

Und ein ordentlicher Mensch hat sein Leben lieb, und
ein Mensch, der sein Leben lieb hat, hat kein Courage,
ein tugendhafter Mensch hat keine Courage! Wer Courage hat ist ei Hundsfott.

UNTEROFFICIER *mit Wü⟨r⟩de:* Sie vergessen sich, in Ge- 10
genwart eines Tapfern,

BARBIER Ich spreche ohne Beziehung, ich spreche nicht
mit Rücksichte, wie die Franzose spreche, und es war
schön von Euch. – Aber wer Courage hat ist ei Hundsfott!   15

UNTEROFFICIER Teufel! du zerbrochne Bartschüssel, du
abgstandne Seifebrüh du sollst mir dei Uri⟨n⟩ trinke,
du sollst mir dei Rasirmesser verschlucken!

BARBIER Herr Er thut sich Unrecht, hab ich ihn denn gemeint, hab ich gesagt er hätt Courage? Herr laß er mich 20
in Ruh! Ich bin die Wissenschaft. Ich bekomm für mei
Wissenschaftlichkeit alle Woche ein halb Gulde, schlag
Er mich nicht grad oder ich muß v⟨er⟩hungern. Ich bin
ein spinosa pericyclyda; ich hab ein lateinischen Rük-
ken. Ich bin ein lebendges Skelett, die ganze Menschheit 25
studirt an mir –. Was ist der Mensch? Knochen! Staub,
Sand, Dreck. Was ist die Natur? Staub, Sand, Dreck.
Aber die dumme Mensche, die dumm Mensche. Wir
müssen Freunde seyn. Wenn Iche kei Courage hätte so
gäb es kei Wissenschaft; kei Natur, kei amputation, kei 30
exarticulation. Was ist das, mein Arm, Fleisch, Knoche,
Adern? Was ist das Dreck? Worin steckts, im Dreck?
Laß ich den Arm so abschneide, nein, der Mensch ist
egoistisch, aber haut, schießt sticht hinei, so, jetzt. Wir
müssen! Freunde, ich bin gerührt. Seht ich wollte unsre 35

Nase wärn zwei Bouteille und wir könnten sie uns einande in die Hals gieße. Ach was die Welt schön ist!
Freunde! mein Freund! Die Welt! *Gerührt:* seht wie
die Sonne kommt zwische d. Wolke herv⟨or⟩, als würd'
e potchambre ausgeschütt. *Er weint.*

⟨Szene gestrichen, nicht weiterverarbeitet, außer dem ge-
rührten Schlußteil der Rede, der teilweise an den Handwerksburschen in 3,11 übergeht.⟩

Das Wirthshaus.   ⟨1,11⟩

Louis sitzt vorm Wirthsh⟨aus⟩.
Leute gehn hinaus.

ANDRES Was ma⟨ch⟩st du da?
LOUIS Wieviel Uhr ist's.
ANDRES –
LOUIS So noch nicht mehr? Ich mein es müßte schneller
    gehn und Ich wollt es wär übermorge Abend
ANDRES Warum?
LOUIS Dann wär's vorbey.
ANDRES Was?
LOUIS Geh dei Wege.
⟨ANDRES⟩ Was sitzt du da vor de Thür
LOUIS Ich sitze gut da, und ich wiß – aber es sitze ma⟨n⟩-
    che Leut vor die Thür und sie wissen es nicht; Es wird
    mancher mit den Füßen voran zur Thür n'aus getragen.
⟨ANDRES⟩ Komm mit!
⟨LOUIS⟩ Ich sitz gut so und läg noch besser gut so. + + + +
    + + + + + +
⟨LOUIS⟩ Wenn alle Leut wüßten w⟨iev⟩iel Uhr es ist, sie
    würde sich ausziehn, und ei saubers Hemd anthun und
    sich die Hobelspän schütteln lassen.

⟨ANDRES⟩ Er ist besoffen.

LOUIS Was liegt denn da⟨d⟩rübe? Es glänzt da so. Es zieht mir immer so zwischen de Augen herum. Wie es glitzert. Ich muß das Ding haben.

Freies Feld. ⟨1,12⟩

LOUIS *er legt das Messer in eine Höhle:* Du sollst nicht tödten. Lieg da! Fort! *Er entfernt sich eilig.*

Nacht. Mondschein. ⟨1,13⟩

Andres und Louis in ein Bett.

LOUIS *leise:* Andres!

ANDRES *träumt:* Da! halt! – Ja

LOUIS He Andres.

ANDRES Nu?

LOUIS Ich hab kei Ruhe! Andres.

ANDRES Drückt dich der Alp?

LOUIS Draußen liegt was. Im Boden. Sie deuten immer drauf hin und hörst du jetzt und jetzt, wie sie in den Wände klopfe, eben hat einer + zum Fenster her⟨ein⟩-gegukt. Hörst du's nicht, ich hör's den ganzen Tag. Immer zu. Stich, stich die W⟨oyzecke⟩

ANDRES Leg dich Louis du mußt ins Lazareth. Du mußt Schnaps trinke und Pulver drein, das schneidt das Fieber.

Magreth mit Mädchen vor der Hausthür. ⟨1,14⟩

MÄDCHEN Wie scheint d. Sonn St. Lichtmeßtag
         Und steht das Korn im Blühn.
         Sie ginge wohl die St⟨ra⟩ße hin
5   Sie ginge zu zwei und zw⟨ein⟩
         Die Pfeifer ginge vorn
         Die Geiger hinter drein.
         Sie hatte rothe +

1. K⟨IND⟩ S'ist nit schön.   ⟨ANDERE *abwechselnd*
10 2. ⟨KIND⟩ Was willst du auch   *dazwischen:*⟩
    immer.   Warum?
⟨1. KIND⟩ Was hast zu⟨er⟩st   Darum?
    angefange.   Aber warum darum?
⟨KIND⟩ Ich kann nit.
15 ⟨ANDERES⟩ Es muß sing.
⟨KINDER⟩ Magretche sing du uns.
MAGRETH Kommt ihr klei Krabben!
         Ringle, ringel Rosekranz. König Herodes.
Großmutter erzähl.
20 GROSSMUTTER Es war eimal ein arm Kind und hat kei
    Vater und kein Mutter war Alles todt und war Niemand
    mehr auf der Welt. Alles todt, und es ist hingangen und
    hat gerrt Tag und Nacht. Und wie auf der Erd Niemand
    mehr war, wollt's in Himmel gehn, und der Mond guckt
25 es so freundlich an und wie's endlich zum Mond kam,
    war's ein Stück faul Holz und da ist es zur Sonn gangen
    und wie's zur Sonn kam, war's ein v⟨er⟩we⟨l⟩kt Sonne-
    blum und wie's zu den Sterne kam, warn's klei golde
    Mücke, die warn angesteckt wie d. Neuntödter sie auf
30 die Schlehe steckt und wie's wieder auf die Erd wollt,
    war die Erd ein umgestürzter Hafen und war ganz allein
    und da hat sich's hingesetzt und gerrt und da sitzt' es
    noch und ist ganz allein.
LOUIS Magreth!

MAGRETH *erschreckt:* Was ist
LOUIS Magreth wir wolln gehn s'ist Zeit.
MAGRETH Wohinaus
LOUIS Weyß ich's?

Magreth und Louis. ⟨1,15⟩ 5

MAGRETH Also dort hinaus ist die Sta⟨dt⟩, s'ist Finster.
LOUIS Du sollst noch bleiben. Komm setz dich.
MAGRETH Aber ich muß fort.
LOUIS Du würdst dir die Füße nicht wund lau⟨fen⟩.
MAGRETH Wie bist du denn auch! 10
LOUIS Wißt du auch wie lang es jetzt ist Mag⟨reth?⟩
MAGRETH Um Pfingsten 2 Jah⟨r.⟩
LOUIS Wißt du auch wie lang es noch seyn wird?
MAGRETH Ich muß fort, der Nachtthau falt.
LOUIS Friert's dich Magreth, und doch bist du warm. Was 15
du heiße Lippen hast! (heiß, heißn Hurenathem und
doch möcht' ich den Himmel gebe sie noch eimal zu
küssen) + und wenn man kalt ist, so friert man nicht
mehr. Du wirst vom Morgenthau nicht frie⟨rn.⟩
MAGRETH Was sagst du? 20
LOUIS Nix. *Schweigen.*
MAGRETH Was der Mond roth auf geht.
LOUIS Wie ein blutig Eisen.
MAGRETH Was hast du vor? Louis, du bist so blaß. Louis
halt. Um des Himmels w⟨illen⟩, Hü Hülfe 25
LOUIS Nimm das und das! Kannst du nicht sterbe. So! so!
Ha sie zuckt noch, noch nicht noch nicht? Immer noch?
stößt zu.
Bist du todt? Todt! Todt! *es kommen Leute, läuft weg.*

Es kommen Leute. ⟨1,16⟩

1. P⟨ERSON⟩ Halt! ⟨ANDERER⟩ + + +
      nein zu
2. P⟨ERSON⟩ Hörst du? Still! Dort
5 1. ⟨PERSON⟩ Uu! Da! Was ein Ton.
   2. ⟨PERSON⟩ Es ist das Wasser, es ruft, schon lang ist
    Niemand ertrunken. Fort s'ist nicht gut, es zu hö-
    ren.
   1. ⟨PERSON⟩ Uu jetzt wieder. Wie ein Mensch der stirbt.
10 2. ⟨PERSON⟩ Es ist unheimlich, so düftig – halb Nebel,
    grau und das Summen d. Käfer, wie gesprungne Glok-
    ken. Fort!
   1. ⟨PERSON⟩ Nein, zu deutlich, zu laut. Da hinauf. Komm
    mit.

15 Das Wirthshaus. ⟨1,17⟩

LOUIS Tanzt alle, immer zu, schwizt und stinckt, er holt
    Euch doch ein⟨ma⟩l Alle. *Singt:*
        Frau Wirthin hat 'ne brave Magd
        Sie sitzt im Garten Tag und Nacht
20   Sie sitzt in ihrem Garten
        Bis daß das Glöcklein zwölfe schlägt
        Und paßt auf die Soldaten.
    Er tanzt. So Käthe! setz dich! Ich hab heiß! heiß *er zieht*
    den Rock aus es ist einmal so, d. Teufel holt die eine und
25   läßt die andre laufen. Käthe du bist heiß! Warum denn
    Käthe du wirst auch noch kalt werden. Sey vernünftig.
    Kannst du nicht singe?
⟨KÄTHE⟩   Ins Schwabeland das mag ich nicht
        Und lange Kleider trag ich nicht
30   Denn lange Kleider spitze Schuh,
        Die komm kein Dienstmagd zu.

⟨LOUIS⟩ Nein, kei Schuh, man kann auch ohne Schuh in die Höll gehn.

⟨KÄTHE⟩ + O pfui mein Schatz das war nicht fein.
　　　　　　Behalt dei Thaler und schlaf allein.

⟨LOUIS⟩ Ja wahrhaftig, ich möchte mich nicht bluti⟨g⟩ 5 mache.

KÄTHE Aber was hast du an dei Hand?

LOUIS Ich? Ich?

KÄTHE Roth! Blut. *Es stellen sich Leute um sie.*

LOUIS Blut? Blut? 10

WIRTH Uu Blut.

LOUIS Ich glaub ich hab' mich geschnitte, da an die rechte Hand.

WIRTH Wie kommt's aber an de Ellenbog?

LOUIS Ich hab's abgewischt. 15

WIRTH Was mit der rechten Hand an de rechte Ellboge? Ihr seyd geschickt

NARR Und da hat der Riese gesagt: ich riech, ich riech, ich riech Menschefleisch. Puh. Der stinkt schon.

LOUIS Teufel, was wollt Ihr? Was geht's Euch an? Platz! 20 oder der erste

Teufel. Meint Ihr ich hätt Jemand umgebracht? Bin ich Mörder? Was gafft Ihr? Guckt Euch selbst an. Platz da. *Er läuft hinaus.*

Kinder. ⟨1,18⟩ 25

1. KIND Fort. Magretchen

2. KIND Was is.

1. KIND Wißt du's nit? Sie sind schon alle hinaus. Drauß liegt eine!

2. KIND Wo? 30

1. ⟨KIND⟩ Links über die Lochschanz in dem Wäldche, am rothen Kreuz.

2. ⟨KIND⟩ Fort, daß wir noch was sehen. Sie tragen sonst
hinein.

Louis, allein. ⟨1,19⟩

⟨LOUIS⟩ Das Messer? Wo ist das Messer? Ich hab' es da
gelasse. Es verräth mich! Näher, noch näher! Was ist das
für ein Platz? Was höre ich? Es rührt sich was. Still. Da
in der Nähe.
Magreth? Ha Magreth! Still. Alles still! (Was bist du so
bl⟨eic⟩h, Magreth? Was hast du ei rothe Schnur um d.
Hals? Bey wem, hast du das Halsband verdient, mit dei
Sünde? Du warst schwarz davon, schwarz! Hab ich dich
jetzt gebleicht. Was hänge dei schwarze Haare so wild?
Hast du die Zöpfe heut nicht geflochten?) Da liegt was!
kalt, naß, stille. Weg von dem Platz. Das Messer, das
Messer hab ich's? So! Leute – Dort. *Er läuft weg.*

Louis an einem Teich. ⟨1,20⟩

⟨LOUIS⟩ So, da hinunter! *Er wirft das Messer hinein.* Es
taucht in das dunkle Wasser, wie Stein! Der Mond ist
wie ein blutig Eisen! Will denn die ganze Welt es aus-
plaude⟨rn⟩? Nein es liegt zu weit vorn, wenn sie sich
bade *er geht in den Teich und wirft weit* so jetzt aber
im Sommer, wenn sie tauchen nach Muscheln, bah es
wird rostig! Wer kann's erkennen. Hätt' ich es zerbroche! Bin ich noch blutig? ich muß mich wasche. Da ein
Fleck und da noch einer.

POL⟨IZIST⟩ Ein guter Mord, ein ächter Mord, ein schön
Mord, so schön als man ihn nur verlangen thun kann
wir haben schon lange so kein gehabt. –
BARBIER *dogmatischer Atheist. Lang, hager, feig, geist-
reich, Wissenschaftl.*

⟨Szenenskizze 21 und die Figurenskizze BARBIER stehen am
Anfang der ersten Seite eines neuen Foliobogens. Ohne
Abstand schließt sich darauf Teilentwurf 2 an.⟩

⟨Teilentwurf 2⟩

Freies Feld. ⟨2,1⟩
Die Stadt in der Ferne.

Woyzeck. Andres.
5 *Andres und Woyzeck schneiden Stöcke im Gebüsch.*

ANDRES *pfeift und singt:*
> Da ist die schöne Jägerei.
> Schießen steht Jedem frei
> Da möcht' ich Jäger seyn
10 > Da möcht ich hin.
> ——
> Läuft dort e Has vorbey
> Frägt mich ob ich Jäger sey
> Jäger bin ich auch schon gewesen,
> Schießen kann ich aber nit.

15 WOYZECK Ja Andres, das ist er der Platz ist verflucht.
Siehst du den leichten Streif, da über das Gras hin, wo
die Schwämme so nachwachse da rollt Abens der Kopf,
es hob' ihn eimal einer auf, er meint es sey ein Igel, 3 Tage
und 2 Nächte + + Zeichen, und er war todt. *Leise:* Das
20 waren die Freimaurer, ich hab' es haus.
ANDRES Es wird finst⟨er⟩, fast macht Ihr ein Angst. *Er singt.*
WOYZECK *faßt ihn an:* Hörst du's Andres? Hörst du's, es
geht! neben uns, unter uns. Fort, die Erde schwankt
unter unse⟨rn⟩ Sohln. Die Freimaurer! Wie sie wühlen!
25 *Er reißt ihn mit sich.*
ANDRES Laßt mich! Seid Ihr toll! Teufel.
WOYZECK bist du ei Maulwurf, sind dei Ohr voll Sand?
Hörst du das fürchterliche Getös am Himmel? Ueber d.
Stadt, Alles Gluth! Sieh nicht hinter dich. Wie es hervor-
30 schießt, und Alles darunter stürzt!
ANDRES (Du machst mir Angst.)

WOYZECK Sieh nicht hinter dich, *sie verstecken sich im Gebüsch.*
ANDRES Woyzeck ich hör nichts mehr.
WOYZECK Still, ganz still, wie der Tod.
ANDRES Sie trommeln drin. Wir müssen fort. 5

⟨Szene gestrichen, übertragen in 3,1.⟩

Die Stadt. ⟨2,2⟩

Louise. Magreth am Fenster. Der Zapfenstreich geht vorbey. Tambourmajor voraus.

LOUISE He! Bub! Sa! ra 10
MAGRETH Ein schöner Mann!
LOUISE Wie e Baum.
TAMBOURMAJOR *grüßt.*
MAGRETH Hey was freundliche Auge, Frau Nachbar, so was is man nit an ihr gewohnt. 15
LOUISE Soldaten, das sind schmucke Bursch.
MAGRETH Ihr⟨e⟩ Auge glänze ja noch!
LOUISE Was geht sies an! Trag sie ihre Auge zum Jude und laß sie sich putze, vielleicht glänze sie auch noch, daß man sie als 2 Knöpf verkaufe könnt. 20
MAGRETH Sie! Sie! Frau Jungfer, ich bin e honette Person, aber Sie, es wiß jeder sie guckt siebe Paar lederne Hose durch.
LOUISE Luder *schlägt das Fenster zu.*
Komm mei Bu, soll ich dir singe. Was die Leut wolle! 25
Bist du auch nur e Hureki⟨nd⟩ und machst dei Mutter Freud mit deim unehrliche Gesicht.

   Hansel spann deine sechs Schimmel an
   Gieb ihn zu fresse auf's neu
   Kein Haber fresse sie, 30

Kein Wasser saufe sie
Lauter kühle Wein muß es seyn, Juchhe.
Lauter kühle Wein muß es seyn.

Mädel, was fangst du jetzt an
5   ‎‧   Hast ein klein' Kind und kein Mann?
Ey was frag ich danach
Sing ich den ganzen Tag
Heye popeio mei Bu, juchhe.
Giebt mir kein Mensch nix dazu.

10   *Es klopft am Fenster.* Bist du's Franz? Komm herein.
WOYZECK Ich kann nit. Muß zum Verles.
LOUISE Hast du Stecken geschnitten für den Major.
WOYZECK Ja Louisel.
LOUISE Was hast du Franz, du siehst so verstört?
15   WOYZECK Pst! still! ich hab's aus. Die Freimaurer! Es war
ein fürchterliches Getös am Himmel und Alles in Gluth!
Ich bin viel auf der Spur! sehr viel!
LOUISE Narr!
WOYZECK Meinst? Sieh um dich! Alles starr, fest, finster,
20   was regt sich dahinter. Etwas, was wir nicht fasse + still,
was uns von Sinnen bringt, ab⟨er⟩ ich hab's aus.
Ich muß fort!
LOUISE Dei Kind?
WOYZECK Ach Junge! Heut Abend auf die Mess. Ich hab
25   wieder was gespart *ab*.
LOUISE Der Mann schnappt noch über, er hat mir Angst
gemacht. Wie unheimlich, ich mag wenn es finst⟨er⟩
wird gar nicht bleiben, ich glaub' ich bin blind, er steckt
ein an. Sonst scheint doch als die Latern herein. Ach wir
30   armen Leute.
Sie singt: und macht die Wiege knickknack
Schlaf wohl mein lieber Dicksack.
Sie geht ab.
⟨Szene gestrichen, übertragen in 3,2.⟩

Buden. Lichter.

ALTER MANN *Kind das tanzt:*
Auf der Welt ist kein Bestand
Wir müssen alle sterbe,
das ist uns wohlbekannt!

⟨WOYZECK⟩ He! Hopsa! Arm Mann, alter Mann! Arm
Kind! Junges Kind + und +! Hey Louisel, soll ich dich
trage? Ein Mensch muß, auch d. Mann von + damit er
esse kann. Narre-Welt! Schön Welt!

AUSRUFER *an einer Bude:* Meine Herren, meine Damen,
hier sind zu sehn das astronomische Pferd und die kleine
Kanaillevögele, sind Liebling von alle Potentate Europas und Mitglied von alle gelehrte Societät; weissage d.
Leute Alles, wie alt, wie viel Kinder, was für Krankheit,
sch⟨ie⟩ßt Pistol los, stellt sich auf ein Bein. Alles Erziehung, haben eine viehische Vernunft, oder vielmehr eine
ganze vernünftige Viehigkeit, ist kei viehdummes Individuum wie viel Person, das verehrliche Publikum abgerechnet. + + H⟨erein⟩. Es wird sein, die rapräsenta-
tion, das commencement vom commencement wird sogleich nehm sein Anfang.
Sehn Sie die Fortschritte der Civilisation. Alles schreitet
fort, ei Pferd, ei Aff, ei Kanaillevogel. Der Aff' ist schon
ei Soldat, s'ist noch nit viel, unt⟨er⟩st Stuf von menschliche Geschlecht!

+ Grotesk! Sehr grotesk.

+ Sind Sie auch ein Atheist? ich bin ein dogmatisch⟨er⟩
Atheist.

+ Ist's grotesk? Ich bin ein Freund vom grotesken. Sehn
sie dort? was ein grotesker Effect.

+ Ich bin + dogmatischer Atheist.

Grotesk.

⟨HANDWERKSBURSCHE⟩ Brüder! Vergißmeinicht! Freund-
    schaft – Ich könnt ein Regenfaß voll greinen. Wehmuth!
    wenn ich noch einen hätt! Es stinkt mir, es riecht mir.
5   Warum ist dieße Welt so schön? Wenn ich's ei Aug zu
    mach und über mei Nas hinguck, so is Alles rosenroth.
    Brandewei, da⟨s⟩ ist mei Leben.
EIN ANDERER Er sieht Alles rosenroth, wann + 's Kreuz
    über sei Nas guckt.
10 + S'is kei Ordnung! Was hat der Laternputzer v⟨er-
    ge⟩sse mir die Auge zu fege, s'is Alles finster. Hol der
    Teufel den liebe Herrgott! Ich lieg mir selbst im Weg und
    muß über mich springe. Wo is mei Schatten hingekomm.
    Kei Sicherheit mehr im Stall. Leucht mir eimal einer mit
15 d. Mond zwische die Bein ob ich mei Schatte noch hab.
        Fraßen ab das grüne, grüne Gras
        Fraßen ab das grüne, grüne Gras
        Bis auf den Ra-a-sen.
    Sternschnuppe, ich muß den Stern die Nas schneuzen.
20 Daß ich + + Gesellen, die Handthierung, ist + + + + +
    + + + + Männer + und empfiehlt sich nit + + Kindern.
    Mach kei Loch in die Natur.
    Warum hat Gott die Mensche gschaffe? Das hat auch sei
    Nutze, was würde der Landmann, der Schuhmacher, der
25 Schneider anfange, wenn er für die Mensche kei Schuhe,
    kei Hose mach⟨t⟩e, warum hat Gott den Mensche das
    Gefühl der Schamhaftigkeit eigeflößt, damit der Schnei-
    der lebe kann. Ja! Zum! Also! darum! auf daß! damit!
    oder aber, wenn er es nicht gethan hätte, aber darin
30 sehen wir sei Weisheit, daß er die Menschen nach den
    [Pflanze und Gviech erschaffe], daß n die viehgische
    Schöpfung das menschliche Ansehen hätte, weil die
    Menschheit sonst das Viehische aufgefressen hätte. Die-
    ßer Säugling, dieses schwach, hülflose Gschöpf, jen⟨er⟩

Säugling. – Laßt uns jetzt über das Kreuz piss, damit ei
Jud stirbt.
     Brandwei das ist mei Leben.
     Brandwei giebt Courage.

⟨Szene gestrichen, mit Rückgriff auf 1,5 verarbeitet in
3,11.⟩

Unterofficier. Tambourmajor. ⟨2,5⟩

⟨UNTEROFFICIER⟩ Halt, jetzt. Siehst du sie! Was ein'
     Weibsbild!
TAMBOURMAJOR Teufel, zum Fortpf⟨l⟩anz von Kürassier-
     regimentern und zur Zucht von Tambourmajors.
UNTEROFFICIER Wie sie den Kopf trägt, man meint das
     schwarze Haar müßt ihn abwärts ziehn, wie ei Gewicht,
     und Aug, schw⟨arz⟩
TAMBOURMAJOR Als ob man in ein Ziehbrunn oder zu ein
     Schornstei hinuntegukt. Fort hinte drein.
LOUISEL Was Lichte,
FRANZ Ja die +, ei groß schwarze Katze mit feurige Auge.
     Hey, was 'n Abend.

Woyzeck. Doctor. ⟨2,6⟩

DOCTOR Was erleb' ich. Woyzeck? Ein Mann von Wort?
     Er! er! er?
WOYZECK Was denn Herr Doctor?
DOCTOR Ich es gesehn hab! er auf die Straß gepißt hat, wie
     ein Hund. Geb' ich ihm dafür alle Tag 3 Grosch⟨e⟩ und
     Kost? Die Welt wird schlecht sehr schlecht, schlecht,
     sag' ich, O! Woyzeck das ist schlecht.
WOYZECK Aber Herr Doctor wenn man nit and⟨er⟩s kann?

DOCTOR Nit and⟨er⟩s kann, nit abends kann. Aberglaube,
abscheulicher Aberglaube, hab ich nit nachgewiese, daß
der musculus constrictor vesicae dem Wille unterworfe
ist, Woyzeck der Mensch ist frei, im Menschen verklärt
sich die Individualität zur Freiheit – seinen Harn nicht
halte können! Es ist Betrug Woyzeck. Hat er schon sei
Erbse gegessen, nichts als Erbsen, nichts als Hülsen-
früchte, cruciferae, merk' er sich's. Die nächste Woche
fangen wir dann mit Hammelfleisch an. Muß er nicht
aufs secret? Mach er. Ich sag's ihm. Es giebt eine Revolution in der Wissenschaft. Ei Revolution! Nach gestrigem
Buche 0,10 Harnstoff, + sal⟨z⟩saures Ammon, +. Aber
ich hab's gesehen, daß er an die Wand pißte, ich steckt
grad mei Kopf hinaus, zwischen + + und +. Hat er mir
Frösch gefange? Hat er Laich? Kein Süßwasserpolypen,
keine Hydra, Vestillen Cristatellen? Stoß er mir nicht
an's Mikroskop, ich hab eben den linken Backzahn
von einem Infusionsthier darunter. Ich sprenge sie in
die Luft, alle mitnander. Woyzeck, kei Spinneneier, kei
Kröte? Aber an die Wand gepißt! Ich hab's gesehen, *tritt
auf ihn los*. Nein Woyzeck, ich ärger mich nicht, ärgern
ist ungesund, ist unwissenschaftlich. Ich bin ruhig, ganz
ruhig und ich sag's ihm mit der größten Kaltblütigkeit.
Behüte wer wird sich über einen Menschen ärgern! einen Menschen! Wenn es noch ein Proteus wäre, der
einen krepirt! Aber er hätte doch nicht an die Wand
pissen sollen.

WOYZECK Ja die Natur, Herr Doctor wenn die Natur aus
ist.

DOCTOR Was ist das wenn die Natur ⟨aus⟩ ist?

WOYZECK Wenn die Natur aus ist, das ist, wenn die Natur
⟨aus⟩ ist. Wenn die Welt so finst⟨er⟩ wird, daß man mit
den Hände an ihr herumtappe muß, daß man meint sie
verrinnt wie Spinnweb'! Das ist, so wenn etwas ist und
doch nicht ist. Wenn alles dunkl ist, und nur noch ein

rothe Schein im Westen, wie von eine Esse. Wenn *schrei-*
tet im Zimmer auf und ab.

DOCTOR Kerl er tastet mit sei Füßen herum, wie mit
Spinnfüßen.

WOYZECK *steht ganz gra⟨de⟩:* Habe Sie schon die Ringe
von den Schwämm auf dem Bode gesehe, lange Lini,
+ Kreise, Figurn, da steckt's! da! Wer das lesen könnte.
Wenn die Sonn im hellen Mittage steht und es ist als
müßt die Welt auflodere. Höre sie nichts? + + + + als
die Welt spricht, seien sie die lange Linien, und es ist als
ob es einem mit fürchterlicher Stimme anredete.

DOCTOR Woyzeck! er kommt ins Narrnhaus, er hat eine
schöne fixe Idee, eine köstliche alienatio mentis. Seh' er
mich an, was soll er thun, Erbsen essen, dann Hammelfleisch essen, sei Gewehr putzen, das weiß er Alles und
da zwische die fixen Ideen, die +, das ist brav Woyzeck,
er bekommt ein Groschen Zulage die Woche, mei Theorie, mei neue Theorie, kühn, ewig jugendlich. Woyzeck,
ich werde unsterblich. Zeig' er sei Puls! ich muß ihm
morgens und Abends den Puls fühlen.

⟨Szene gestrichen, verarbeitet in 3,8.⟩

Hauptmann. Doctor.
Hauptmann keucht die Straße herunter, hält an, keucht,
sieht sich um.

HAUPTMANN Wohin so eilig geehrtester Herr Sargnagel?

DOCTOR Wohin so langsam geehrtester Herr Exercirzagel.

HAUPTMANN Nehmen Sie Sich Zeit werthester Grabstein.

DOCTOR Ich stehle mei Zeit nicht, wie sie werthester

HAUPTMANN Laufe Sie nicht so Herr Doctor ein guter
Mensch geht nicht so schnell Hähähä, ein guter Mensch
schnauft ei guter Mensch, sie hetzen sich ja hinter dem
Tod drein, sie mache mir ganz Angst.

DOCTOR Pressirt, Herr Hauptmann, pressirt,

HAUPTMANN Herr Sargnagel, sie schleifen sich ja so ihre
klei⟨ne⟩ Bein ganz auf dem Pflaster ab. Reite Sie doch
nicht auf ihrem Stock in die Luft.

DOCTOR Frau, Sie ist in 4 Woch todt, via comai +, im
siebenten Monat, ich hab' schon 20 solche Patienten
gehabt, in 4 Wochen richt sie sich danach und

HAUPTMANN Herr Doctor, erschrecken sie mich nicht, es
sind schon Leute am Schreck gestorben, am puren hellen
Schreck.

DOCTOR In 4 Wochen, dummes Thier, sie giebt ein in-
t⟨ere⟩ssants Präparat. Ich sag ihr,

HAUPTMANN Daß dich das Wetter, ich halt sie Ha Flegel,
ich lasse sie nicht. Teufel, 4 Woche? Herr Doctor, Sargnagel, Todtenhemd, ich so lang ich da bin 4 Wochen,
und die Leute Citron in den Händen, aber sie werden
sagen, er war ein guter Mensch, ein guter Mensch.

DOCTOR Ey guten Morgen, Herr Hauptmann *den Hut*
und Stock schwingend Kikeriki! Freut mi⟨c⟩h! Freut
mich! *hält ihm den Hut hin* was ist das Herr Hauptmann, das ist Hohlkopf. Hä?

HAUPTMANN *macht eine Falte:* Was ist das Herr Doctor,
Das ist ein Einfalt! Hahaha! Aber nichts für ungut. Ich
bin ein guter Mensch – aber ich kann auch wenn ich will
Herr Doctor, hähäh, wenn ich will. Ha Woyzeck, was
hetzt er sich so an mir vorbey? Bleib er doch Woyzeck.
Er läuft ja wie ein offnes Rasirmesser durch die Welt,
man schneidt sich an ihm, er läuft als hätt er ein Regiment Kosack zu rasirn und würde gehenkt über dem
letzten Haar nach einer Viertelstunde – aber, über die
langen Bärte, was – wollt ich doch sagen? Woyzeck – die
lange Bärte

DOCTOR Ein langer Bart unter dem Kinn, schon Plinius
spricht davon, man muß es den Soldate abgwöhnen,
die, die

HAUPTMANN *fährt fort:* Hä? über die lange Bärte? Wie is
Woyzeck hat er noch nicht ein Haar aus einem Bart in
seiner Schüssel gefunden? He er v⟨er⟩steht mich doch, ein
Haar von einem Menschen, vom Bart eins Sapeur, eins
Unterofficier, eins – eins Tambourmajor? He Woyzeck?
Aber Er hat eine brave Frau. Geht ihm nicht wie andern.

WOYZECK Ja wohl! Was wollen Sie sage Herr Hauptmann?

HAUPTMANN Was der Kerl ein Gesicht macht! er steckt +
in den Himmel nein, muß nun auch nicht in de Suppe,
aber wenn er sich eilt und um die Eck geht, so kann er
vielleicht noch auf e Paar Lippen eins finde, ein Paar
Lippen, Woyzeck, ich habe ⟨auch⟩ das Lieben gefühlt,
Woyzeck.
Kerl er ist ja kreideweiß.

WOYZECK Herr, Hauptmann, ich bin ein armer Teufel, –
und hab sonst nichts – auf de Welt. Herr Hauptm⟨ann⟩,
wenn Sie Spaß machen –

HAUPTMANN Spaß ich, daß dich Spaß, Kerl!

DOCTOR Den Puls Woyzeck, den Puls, klein, hart, hüpfend, ungleich.

WOYZECK Herr Hauptmann, die Erd ist hölleheiß, mir eiskalt, eiskalt, die Hölle ist kalt, wollen wir wetten. Unmöglich. Mensch! Mensch! unmöglich.

HAUPTMANN Kerl, will er erschoß, will ⟨Er⟩ ein Paar Kugel⟨n⟩ vor den Kopf hab er ersticht mich mit sei Auge, und ich mein es gut ⟨mit⟩ ihm, weil er ein guter Mensch ist Woyzeck, ein guter Mensch.

DOCTOR Gesichtsm⟨us⟩keln starr, gspannt, zuweilen hüpfend, Haltung aufgericht gspannt.

WOYZECK Ich geh! Es ist viel möglich. Der Mensch! Es ist viel m⟨ö⟩glich. Wir habe schön Wetter Herr Hauptmann. Sehn sie so ein schön festen grauen Himmel, man könnte Lust bekomm, ein Kloben hineinzuschlage und sich daran zu hänge, nur wege des Gedankstrichels zwischen Ja und nein ja – und nein, Herr Hauptmann ja und nein? Ist das nein am ja oder das ja am nein Schuld? Ich will drüber nachdenken, *geht mit breiten Schritten ab erst langsam dann immer schneller.*

DOCTOR *schießt ihm nach:* Phänomen, Woyzeck, Zulag.

HAUPTMANN Mir wird ganz schwindlich, von den Mensche, wie schnell, der lange Schlegel greift aus, als läuft d. Schatten von einem Spinnbein, und der Kurze, das zuckelt. Der Lange ist der Blitz und der Klei⟨ne⟩ d. Donner. Haha, hinterdrein. Das hab' ich nicht gern! ein guter Mensch ist dankbar und hat sein Leben lieb, ein guter Mensch hat keine courage nicht! ein Hundsfott hat courage! Ich bin blos in Krieg gegan⟨gen⟩ um mich in meiner Liebe zum Leben zu befestigen. Von d. + zur +, von da zum + von da zur cou⟨ra⟩ge, wie man zu son Gedanken kommt, grotesk! grotesk!

LOUISEL Gute Tag Franz.

FRANZ *sie betrachtend:* Ach bist du's noch! Ey wahrhaftig!
nein man sieht nichts man müßt's doch sehen! Louisel
du bist schön!   5

LOUISEL Was siehst du so sond〈er〉bar Franz, ich fürcht
mich.

FRANZ Was n'e schöne Straße, man läuft sich Leichdörn, es
ist gut auf der Gasse stehn, und in Gesellschaft auch gut.

LOUISEL Gesellschaft?   10

FRANZ Es gehn viel Leut durch die Gasse? nicht wahr und
du kannst reden mit wem du willst, was geht das mich
〈an〉! Hat er da gstand? da? da? Und so bey dir? so? Ich
wollt ich wär er gewesen.

LOUISEL Ey Er? Ich kann die Leute die Straße nicht ver- 15
bieten und machen, daß sie ihr Maul mitnehm wenn sie
durchgehn,

FRANZ Und die Lippen nicht zu Haus lasse. Es wär Schade
sie sind so schö〈n〉. Aber die Wespen setzen sich zu
drauf.   20

LOUISEL Und was ne Wesp hat dich gstoche, du siehst so
verrückt wie n'e Kuh, die die Hornisse jag〈en〉.

FRANZ Mensch! *geht auf sie los.*

LOUISEL Rühr mich an Franz! Ich hätt lieber ei Messer in
den Leib, als dei Hand auf meiner! Mein Vater hat mich 25
nicht anzugreifen gewagt, wie ich 10 Jahr alt war, wenn
ich ihn ansah.

WOYZECK Weib! – Nein es müßte was an dir seyn! J〈e〉der
Mensch ist ein Abgrund, es schwindelt einem, wenn
man hinabsieht. Es wär! Sie geht wie die Unschuld. Nein 30
Unschuld du hast ein Zeichen an dir. Wiß ich's? Weiß
ich's? Wer weiß es?

〈Szene gestrichen, verarbeitet in 3,7.〉

Louisel, *allein*. Gebet. ⟨2,9⟩

Und ist kein Betrug in seinem Munde erfunden. Herr Gott!

⟨Größter Teil der Seite und übrige drei Seiten des Bogens frei.⟩

⟨Hauptfassung⟩

Freies Feld.   ⟨3,1⟩
Die Stadt in der Ferne.

Woyzeck und Andres schneiden Stöcke im Gebüsch.

WOYZECK Ja Andres; den Streif da über das Gras hin, da
    rollt Abends der Kopf, es hob ihn einmal einer auf, er
    meint es wär' ein Igel. Drei Tag und drei Nächt und er
    lag auf den Hobelspänen *leise* Andres, das waren die
    Freimaurer, ich hab's, die Freimaurer, still!
ANDRES *singt:*   Saßen dort zwei Hasen   10
                     Fraßen ab das grüne, grüne Gras
WOYZECK Still! Es pocht! Was?
ANDRES   Fraßen ab das grüne, grüne Gras
                     Bis auf den Rasen.
WOYZECK Es pocht hinter mir, unter mir *stampft auf d.*   1
    Boden hohl, hörst du? Alles hohl da unten. Die Frei-
    maurer!
ANDRES Ich fürcht mich.
WOYZECK S'ist so kurios still. Man möcht den Athem hal-
    ten. Andres!   20
ANDRES Was?
WOYZECK Red was! *Starrt in die Gegend.* Andres! Wie
    hell! Ein Feuer fährt um den Himmel und ein Getös
    herunter wie Posaunen. Wie's heraufzieht! Fort. Sieh
    nicht hinter dich. *Reißt ihn in's Gebüsch.*   2
ANDRES *nach einer Pause:* Woyzeck! hörst' du's noch?
WOYZECK Still, Alles still, als wär die Welt todt.
ANDRES Hörst du? Sie trommeln drin. Wir müssen fort.

Marie mit ihrem Kind am Fenster. Margreth. ⟨3,2⟩

Der Zapfenstreich geht vorbey, der Tambourmajor voran.

MARIE *das Kind wippend auf d. Arm:* He Bub! Sa ra ra ra!
5   Hörst? Da komme sie.
MARGRETH Was ein Mann, wie ein Baum.
MARIE Er steht auf seinen Füßen wie ein Löw.
Tambourmajor grüßt.
MARGRETH Ey, was freundliche Auge, Frau Nachbarin, so
10 was is man an ihr nit gewöhnt.
MARIE *singt:*
       Soldaten das sind schöne Bursch
MARGRETH Ihre Auge glänze ja noch.
MARIE Und wenn! Trag sie ihr Auge zum Jud und laß sie
15 sie putzen, vielleicht glänze sie noch, daß man sie für
    zwei Knöpf verkaufe könnt.
MARGRETH Was Sie? Sie? Frau Jungfer, ich bin eine honet-
    te Person, aber sie, sie guckt 7 Paar lederne Hose durch.
MARIE Luder! *Schlägt das Fenster durch.* Komm mein
20 Bub. Was die Leut wollen. Bist doch nur en arm Huren-
    kind und machst deiner Mutter Freud mit deim unehr-
    liche Gesicht.
    Sa! Sa! *Singt:*
       Mädel, was fangst du jetzt an
25   Hast ein klein Kind und kein Mann.
       Ey was frag ich danach
       Sing ich die ganze Nacht
       Heyo popeio mein Bu. Juchhe!
       Giebt mir kein Mensch nix dazu.

30   Hansel spann deine sechs Schimmel an
       Gieb ihn zu fresse auf's neu.
       Kein Haber fresse sie

> Kein Wasser saufe sie
> Lauter kühle Wein muß es seyn. Juchhe
> Lauter kühle Wein muß es seyn.

Es klopft am Fenster.

MARIE Wer da? Bist du's Franz? Komm herein!

WOYZECK Kann nit. Muß zum Verles.

MARIE Was hast du Franz?

WOYZECK *geheimnißvoll:* Marie, es war wieder was, viel, + + steht nicht gschrieben, und sieh da ging ein Rauch vom Land, wie der Rauch vom Ofen? 10

MARIE Mann!

WOYZECK Es ist hinter mir gegangen bis vor die Stadt. Was soll das werden?

MARIE Franz!

WOYZECK Ich muß fort *er geht.* 1

MARIE Der Mann! So vergeistert. Er hat sein Kind nicht angesehn. Er schnappt noch über mit den Gedanken. Was bist so still, Bub? Furchst' dich? Es wird so dunkel, man meint, man wär blind. Sonst scheint d⟨och⟩ als d. Latern herein *geht ab* ich halt's nicht aus. Es schauert 2 mich.

Buden. Lichter. Volk. ⟨3,3⟩

⟨1 ¹/₂ Seiten frei. Vgl. die Vorstufen 1,1 und 1,2 sowie 2,3.⟩

Marie. ⟨3,4⟩

sitzt, ihr Kind auf dem Schooß, ein Stückchen Spiegel in 2
der Hand.

⟨MARIE⟩ *bespiegelt sich:* Was die Steine glänze! Was sind's für? Was hat er gesagt? – Schlaf Bub! Drück die Auge zu,

fest, *das Kind versteckt die Augen hinter den Händen*
noch fester, bleib so, still oder er holt dich *singt:*

> Mädel mach's Ladel zu
> 's kommt e Zigeunerbu
> Führt dich an deiner Hand
> Fort in's Zigeunerland.

Spiegelt sich wieder. S'ist gewiß Gold! Unsereins hat nur
ein Eckchen in der Welt und ein Stückchen Spiegel und
doch hab ich ein so rothe Mund als die großen Madamen mit ihren Spiegeln von oben bis unten und ihren
schönen Herrn, die ihnen die Händ küssen; ich bin nur
ein arm Weibsbild. – *Das Kind richtet sich auf.* Still Bub,
die Auge zu, das Schlafengelchen, wie's an der Wand
läuft *sie blinkt mit dem Glas* die Auge zu, oder es sieht
dir hinein, daß du blind wirst.

*Woyzeck tritt herein, hinter sie. Sie fährt auf mit d.
Händen nach d. Ohren.*

WOYZECK Was hast du?

MARIE Nix.

WOYZECK Unter deinen Fingern glänzt's ja.

MARIE Ein Ohrringlein; hab's gefunden.

WOYZECK Ich hab so noch nix gefunden. Zwei auf einmal.

MARIE Bin ich ein Mensch?

WOYZECK S'ist gut, Marie. – Was der Bub schläft. Greif'
ihm unter's Aermchen, der Stuhl drückt ihn. Die hellen
Tropfen steh'n ihm auf der Stirn; Alles Arbeit unter d.
Sonn, sogar Schweiß im Schlaf. Wir arme Leut! Das is
wieder Geld Marie, d. Löhnung und was von mein'm
Hauptmann.

MARIE Gott vergelt's Franz.

WOYZECK Ich muß fort. Heut Abend, Marie. Adies.

MARIE *allein, nach einer Pause:* Ich bin doch ein schlecht
Mensch. Ich könnt' mich erstechen. – Ach! Was Welt?
Geht doch Alles zum Teufel, Mann und Weib.

Hauptmann auf einem Stuhl. Woyzeck rasirt ihn.

HAUPTMANN Langsam, Woyzeck, langsam; ein's nach d.
andern; er macht mir ganz schwindlich. Was soll ich
dann mit den zehn Minuten anfangen, die er heut zu   5
früh fertig wird? Woyzeck, bedenk' er, er hat noch seine
schöne dreißig Jahr zu leben, dreißig Jahr! macht 360
Monate, und Tage, Stunden, Minuten! Was will er denn
mit der ungeheuren Zeit all anfangen? Theil er sich ein,
Woyzeck.   10
WOYZECK Ja wohl, Herr Hauptmann.
HAUPTMANN Es wird mir ganz angst um die Welt, wenn
ich an die Ewigkeit denke. Beschäftigung, Woyzeck,
B⟨e⟩schäftigung! ewig das ist ewig, das ist ewig, das
siehst du ein; nun ist es aber wieder nicht ewig und   15
das ist ein Augenblick, ja, ein Augenblick. – Woyzeck,
es schaudert mich, wenn ich denk, daß sich die Welt in
einem Tag herumdreht, was'n Zeitverschwendung, wo
soll das hinaus? Woyzeck, ich kann kein Mühlrad mehr
sehn, oder ich werd' melancholisch.   20
WOYZECK Ja wohl, Herr Hauptmann.
HAUPTMANN Woyzeck er sieht immer so verhetzt aus. Ein
guter Mensch thut das nicht, ein guter Mensch, der sein
gutes Gewissen hat. – Red' er doch was Woyzeck. Was
ist heut für Wetter?   25
WOYZECK Schlimm, Herr Hauptmann, schlimm; Wind
HAUPTMANN Ich spür's schon, s'ist so was Geschwindes
draußen; so ein Wind macht mir d. Effect wie eine Maus.
Pfiffig: Ich glaub' wir haben so was aus Süd-Nord.
WOYZECK Ja wohl, Herr Hauptmann.   30
HAUPTMANN Ha! ha! ha! Süd-Nord! Ha! Ha! Ha! O er ist
dumm, ganz abscheulich dumm. *Gerührt:* Woyzeck, er
ist ein guter Mensch, ein guter Mensch – aber *mit Würde*

72   Die Entstehungsstufen

Woyzeck, er hat keine Moral! Moral das ist wenn man moralisch ist, versteht er. Es ist ein gutes Wort. Er hat ein Kind, ohne den Segen der Kirche, wie unser hochehrwürdiger Herr Garnisonsprediger sagt, ohne den Segen
d. Kirche, es ist nicht von mir.

WOYZECK Herr Hauptmann, der liebe Gott wird den armen Wurm nicht drum ansehn, ob das Amen drüber gesagt ist, eh' er gemacht wurde. Der Herr sprach: Lasset die Kindlein zu mir kommen.

HAUPTMANN Was sagt er da? Was ist das für 'ne kuriose Antwort? Er macht mich ganz confus mit seiner Antwort. Wenn ich sag: er, so mein ich ihn, ihn.

WOYZECK Wir arme Leut. Sehn sie, Herr Hauptmann, Geld, Geld. Wer kein Geld hat. Da setz einmal einer seinsgleichen auf die Moral in die Welt. Man hat auch sein Fleisch und Blut. Unseins ist doch einmal unseelig in der und der andern Welt, ich glaub' wenn wir in Himmel kämen, so müßten wir donnern helfen.

HAUPTMANN Woyzeck er hat keine Tugend, er ist kein tugendhafter Mensch. Fleisch und Blut? Wenn ich am Fenster lieg, wenn' es geregnet hat und den weißen Strümpfen so nachsehe, wie sie über die Gassen springen, – verdammt Woyzeck, – da kommt mir die Liebe! Ich hab auch Fleisch und Blut. Aber Woyzeck, die Tugend, die Tugend! Wie sollte ich dann die Zeit herumbringen? ich sag' mir immer du bist ein tugendhafter Mensch, *gerührt* ein guter Mensch, ein guter Mensch.

WOYZECK Ja Herr Hauptmann, die Tugend! ich hab's noch nicht so aus. Sehn Sie, wir gemeinen Leut, das hat keine Tugend, es kommt einem nur so die Natur, aber wenn ich ein Herr wär und hätt ein Hut und eine Uhr und eine anglaise, und könnt vornehm reden ich wollt schon tugendhaft seyn. Es muß was Schöns seyn um die Tugend, Herr Hauptmann. Aber ich bin ein armer Kerl.

HAUPTMANN Gut Woyzeck. Du bist ein guter Mensch, ein guter Mensch. Aber du denkst zuviel, das zehrt, du siehst immer so verhetzt aus. Der Diskurs hat mich ganz angegriffen. Geh' jetzt und renn nicht so; langsam, hübsch langsam die Straße hinunter.

Marie. Tambourmajor. ⟨3,6⟩

TAMBOURMAJOR Marie!

MARIE *ihn ansehend, mit Ausdruck:* Geh' einmal vor dich hin. – Ueber die Brust wie ein Stier und ein Bart wie ein Löw... So ist keiner... Ich bin stolz vor allen Weibern. 1

TAMBOURMAJOR Wenn ich am Sonntag erst den großen Federbusch hab' und die weißen Handschuh, Donnerwetter, Marie, der Prinz sagt immer: Mensch, er ist ein Kerl.

MARIE *spöttisch:* Ach was! *Tritt vor ihn hin.* Mann! 1

TAMBOURMAJOR Und du bist auch ein Weibsbild, Sapperment, wir wollen eine Zucht von Tambourmajor's anlegen. He? *Er umfaßt sie.*

MARIE *verstimmt:* Laß mich!

TAMBOURMAJOR Wildes Thier. 2

MARIE *heftig:* Rühr mich an!

TAMBOURMAJOR Sieht dir der Teufel aus d. Augen?

MARIE Meintwegen. Es ist Alles eins.

Marie. Woyzeck. ⟨3,7⟩

FRANZ *sieht sie starr an, schüttelt d. Kopf:* Hm! Ich seh 2 nichts, ich seh nichts. O, man müßt's sehen: man müßt's greifen können mit Fäusten.

MARIE *v⟨er⟩schüchtert:* Was hast du Franz? Du bist hirnwüthig. Franz.

FRANZ Eine Sünde so dick und so breit. (Es stinkt daß man
die Engelchen zum Himmel hinaus räuchern könnt.) Du
hast ein rothen Mund, Marie. Kein Blasen drauf? Adie,
Marie, du bist schön wie die Sünde – Kann die Todsünde
so schön seyn?

MARIE Franz, du red'st in Fieber.

FRANZ Teufel! – Hat er da gestande, so, so?

MARIE Dieweil d. Tag lang und d. Welt alt ist, könn viel
Mensche an eim Platz stehn, einer nach d. andern.

WOYZECK Ich hab ihn gesehn.

MARIE Man kann viel sehn, wenn man 2 Augen hat und
man nicht blind ist und die Sonn scheint.

WOYZECK Wirst + +.

MARIE *keck:* Und wenn auch.

Woyzeck. D. Doctor. ⟨3,8⟩

DOCTOR Was erleb' ich Woyzeck? Ein Mann von Wort.

WOYZECK Was denn Herr Doctor?

DOCTOR Ich hab's gesehn Woyzeck; er hat auf Straß gepißt, an die Wand gepißt wie ein Hund. Und doch 2
Groschen täglich. Woyzeck das ist schlecht. Die Welt
wird schlecht, sehr schlecht.

WOYZECK Aber Herr Doctor, wenn einem die Natur
kommt.

DOCTOR Die Natur kommt, die Natur kommt! Die Natur! Hab' ich nicht nachgewiesen, daß der musculus
constrictor vesicae dem Willen unterworfen ist? Die
Natur! Woyzeck, der Mensch ist frei, in dem Menschen verklärt sich die Individualität zur Freiheit.
Den Harn nicht halten können! *Schüttelt den Kopf,
legt die Hände auf den Rücken und geht auf und ab.*
Hat er schon seine Erbsen gegessen, Woyzeck? – Es
giebt eine Revolution in der Wissenschaft, ich sprenge

sie in die Luft. Harnstoff, 0,10, salzsaures Ammonium, Hyperoxydul.

Woyzeck muß er nicht wieder pissen? geh' er eimal hinein u. probir er's.

WOYZECK Ich kann nit Herr Doctor.

DOCTOR *mit Affect:* Aber auf die Wand pissen! Ich hab's schriftlich, den Akkord in der Hand. Ich hab's gesehn, mit dießen Augen gesehn, ich streckte grade die Nase zum Fenster hinaus und ließ die Sonnestrahlen hinein fallen, um das Niesen zu beobachten, *tritt auf ihn los.* Nein Woyzeck, ich ärgere mich nicht, Ärger ist ungesund, ist unwissenschaftlich. Ich bin ruhig ganz ruhig, mein Puls hat seine gewöhnlichen 60 und ich sag's ihm mit der größten Kaltblütigkeit! Behüte wer wird sich über einen Menschen ärgern, ein Menschen! Wenn es noch ein proteus wäre, der einem krepirt! Aber er hätte doch nicht an die Wand pissen sollen –

WOYZECK Sehn sie Herr Doctor, manchmal hat man so n'en Character, so n'e Structur. – Aber mit der Natur ist's was andres, sehn sie mit der Natur *er kracht mit den Fingern* das ist so was, wie soll ich doch sagen, z. B.

DOCTOR Woyzeck, er philosophirt wieder.

WOYZECK *vertraulich:* Herr Doctor habe sie schon was von d. doppelten Natur gesehn? Wenn die Sonn in Mittag steht und es ist als ging d. Welt im Feuer auf hat schon eine fürchterliche Stimme zu mir gered!

DOCTOR Woyzeck, er hat eine aberratio.

WOYZECK *legt d. Finger an d. Nase:* Die Schwämme Herr Doctor. Da, da steckts. Haben sie schon gesehn in was für Figurn die Schwämme auf d. Boden wachsen. Wer das lesen könnt.

DOCTOR Woyzeck er hat die schönste aberratio mentalis partialis, zweite Species, sehr schön ausgeprägt. Woyzeck er kriegt Zulage. Zweite species, fixe Idee, mit all-

gemein vernünftigem Zustand, er thut noch Alles wie
sonst, rasirt sein Hauptmann⟨?⟩

WOYZECK Ja wohl.

DOCTOR Ißt sei Erb⟨s⟩e?

5 WOYZECK Immer ordentlich Herr Doctor. Das Geld für die
menage kriegt die Frau.

DOCTOR Thut sei Dienst,

WOYZECK Ja wohl.

DOCTOR Er ist ein in⟨tere⟩ssanter casus, Subjekt Woy-
0 zeck er kriegt Zulag. Halt er sich brav. Zeig er sei Puls!
Ja.

Hauptmann. Doctor.   ⟨3,9⟩

HAUPTMANN Herr Doctor, die Pferde machen mir ganz
Angst; wenn ich denke, daß die armen Bestien zu Fuß
5 gehn müssen. Rennen Sie nicht so. Rudern Sie mit ihrem
Stock nicht so in der Luft. Sie hetzen sich ja hinter d. Tod
drein. Ein guter Mensch, der sein gutes Gewissen hat,
geht nicht so schnell. Ein guter Mensch. *Er erwischt den
Doctor am Rock.* Herr Doctor erlauben sie, daß ich ein
0 Menschenleben rette, sie schießen
Herr Doctor, ich bin so schwermüthig ich habe so was
schwärmerisches, ich muß immer weinen, wenn ich meinen Rock an der Wand hängen sehe, da hängt er.

DOCTOR Hm, aufgedunsen, fett, dicker Hals, apoplecti-
5 sche Constitution. Ja Herr Hauptmann sie könne eine
apoplexia cerebralis krieche, sie könne sie aber vielleicht
auch nur auf d. einen Seite bekomm, und dann auf der
einen gelähmt seyn, oder aber sie könne im besten Fall
geistig gelähmt werden und nur fort vegtirn, das sind so
0 ongefähr ihre Aussichte auf d. nächste 4 Wochen. Übrigens kann ich sie versichern, daß Sie eine von den interessanten Fällen abgebe und wenn Gott will, daß ihre

Zunge zum Theil gelähmt wird, so machen wir d. unsterblichsten Experimente.

HAUPTMANN Herr Doctor erschrecken Sie mich nicht, es
sind schon Leute am Schreck gestorben, am bloßen hellen Schreck. – Ich sehe schon die Leute mit d. Citronen
in d. Händen, aber sie werden sagen er war ein guter
Mensch, ein guter Mensch – Teufel Sargnagel.

DOCTOR Was ist das Herr Hauptmann? das ist Hohlkopf

HAUPTMANN *macht eine Falte:* Was ist das Herr Doctor,
das ist Einfalt.

DOCTOR Ich empfehle mich, geehrtster Herr Exercirzagel.

HAUPTMANN Gleichfalls, bester Herr Sargnagel.

⟨Restliche ³/₄ Seite des Bogens frei.⟩

Die Wachtstube.   ⟨3,10⟩

Woyzeck. Andres.

ANDRES *singt:*
    Frau Wirthin hat n'e brave Magd
    Sie sitzt im Garten Tag und Nacht
    Sie sitzt in ihrem Garten ...

WOYZECK Andres!

ANDRES Nu?

WOYZECK Schön Wetter.

ANDRES Sonntagssonnwetter, und Musik vor der Stadt.
Vorhin sind die Weibsbilder hin, die Mensche dampfe,
das geht.

WOYZECK *unruhig:* Tanz, Andres, sie tanze.

ANDRES Im Rössel und im Sterne.

WOYZECK Tanz, Tanz.

ANDRES Meinetwege.
    Sie sitzt in ihrem Garten

Die Entstehungsstufen

        bis daß das Glöcklein zwölfe schlägt
        Und paßt auf die Solda – aten.

WOYZECK Andres, ich hab kein Ruh.

ANDRES Narr!

WOYZECK Ich muß hinaus. Es dreht sich mir vor den Augen. Was sie heiße Händ habe. V⟨er⟩dammt Andres!

ANDRES Was willst du?

WOYZECK Ich muß fort.

ANDRES Mit dem Mensch.

WOYZECK Ich muß hinaus, s'ist so heiß da hin.

Wirthshaus.   ⟨3,11⟩

D. Fenster offen, Tanz. Bänke vor dem Haus.
Bursche⟨n⟩.

1. HANDWERKSBURSCH
        Ich hab ein Hemdlein an
        Das ist nicht mein
        Meine Seele stinkt nach Brandewein, –

2. HANDWERKSBURSCH Bruder, soll ich dir aus Freundschaft ein Loch in die Natur mache? Verdammt. Ich will ein Loch in die Natur machen. Ich bin auch ein Kerl, du weißt, ich will ihm alle Flöh am Leib todt schlage.

1. HANDWERKSBURSCH Meine Seele, meine Seele stinkt nach Brandewein. – Selbst das Geld geht in Verwesung über. Vergißmeinicht! Wie ist dieße Welt so schön. Bruder, ich muß ein Regenfaß voll greinen. Ich wollt unse Nase wärn zwei Bouteille und wir könnte sie uns einande in de Hals gießen.

Woyzeck stellt sich an's Fenster. Marie und d. Tambourmajor tanzen vorbey, ohne ihn zu bemerken.

DIE ANDERN *im Chor:*
        Ein Jäger aus der Pfalz,

Ritt einst durch einen grünen Wald,
Halli, halloh, gar lustig ist die Jägerei
Allhier auf grüner Heid
Das Jagen ist mei Freud.

MARIE *im Vorbeytanzen:* Immer, zu, immer zu

WOYZECK *erstickt:* Immer zu – immer zu. *Fährt heftig auf und sinkt zurück auf die Bank* immer zu immer zu *schlägt die Hände ineinander.* Dreht Euch, wälzt Euch. Warum bläßt Gott nicht Sonn aus, daß Alles in Unzucht sich übernander wälzt, Mann und Weib, Mensch und Vieh. Thut's am hellen Tag, thut's einem auf den Händen, wie die Mücken. – Weib. – Das Weib ist heiß, heiß! – Immer zu, immer zu. *Fährt auf.* Der Kerl! Wie er an ihr herumtappt, an ihrm Leib, er er hat sie wie i – zu Anfang.

I. HANDWERKSBURSCH *predigt auf dem Tisch:* Jedoch wenn ein Wandrer, der gelehnt steht an den Strom der Zeit oder aber sich d. göttliche Weisheit beantwortet und sich anredet: Warum ist der Mensch? Warum ist der Mensch? – Aber wahrlich ich sage Euch, von was hätte der Landmann, der Weißbinder, der Schuster, der Arzt leben sollen, wenn Gott den Menschen nicht gschaffen hätte? Von was hätte der Schneider leben sollen, wenn er dem Menschen nicht die Empfindung, der Schaam eingepflanzt, von was der Soldat, wenn er ihn nicht mit dem Bedürfniß sich todtzuschlagen ausgerüstet hätte. Darum zweifelt nicht, ja ja, es ist lieblich und fein, aber Alles Irdische ist eitel, selbst das Geld geht in Verwesung über. – Zum Beschluß, mei⟨ne⟩ geliebten Zuhörer, laßt uns noch über's Kreuz pissen, damit ein Jud stirbt.

Freies Feld. ⟨3,12⟩

Woyzeck.

Immer zu! immer zu! Still Musik. – *Reckt sich gegen d.*
Bod⟨en⟩. He was, was sagt ihr? Lauter, lauter, stich, stich
5   die Zickwolfin todt? stich, stich die Zickwolfi⟨n⟩ todt.
Soll ich? Muß ich? Hör ich's da auch, sagt's der Wind
auch? Hör ich's immer, immer zu, stich todt, todt.

Nacht. ⟨3,13⟩

Andres und Woyzeck in einem Bett.

0 WOYZECK *schüttelt Andres*: Andres! Andres! ich kann nit
schlafe, wenn ich die Aug zumach, dreh't sich's immer
und ich hör d. Geigen, immer zu, immer zu. Und dann
sprichts aus der Wand, hörst du nix?
ANDRES Ja, – laß sie tanze! Gott behüt uns, Amen. *Schläft*
5   *wieder ein.*
WOYZECK Es zieht mir zwischen d. Auge wie ein Messer.
ANDRES Du muß Sch⟨n⟩aps trinke und Pulver drein, das
schneidt das Fieber.

Wirthshaus. ⟨3,14⟩

0 *Tambourmajor. Woyzeck. Leute.*

TAMBOURMAJOR Ich bin ein Mann! *schlägt sich auf die*
Brust ein Mann sag' ich. Wer will was? Wer kein bsoffe
Herrgott ist der laß sich von mir. Ich will ihm die Nas ins
Arschloch prügeln. Ich will – *zu Woyzeck* da Kerl, sauf,

der Mann muß saufen ich wollt die Welt wär Schaaps,
Schnaps.

WOYZECK *pfeift.*

TAMBOURMAJOR Kerl, soll ich dir die Zung aus dem Hals
ziehn und sie um den Leib herumwickle? *sie ringen,* 5
Woyzeck verliert soll ich dir noch soviel Athem lassen
als ein Altweiberfurz, soll ich?

WOYZECK *setzt sich erschöpft zitternd auf die Bank.*

TAMBOURMAJOR Der Kerl soll dunkelblau pfeifen. Ha.
　　　　　　Brandewein das ist mein Leben　　　　　10
　　　　　　Brandwein giebt courage!

EINE Der hat sei Fett.

ANDRE Er blut.

WOYZECK Eins nach d. andern.

Woyzeck. D. Jude. ⟨3.15⟩ 1

WOYZECK Das Pistolche is zu theuer.

JUDE Nu, kauft's oder kauft's nit, was is?

WOYZECK Was kost das Messer.

JUDE S'ist ganz, grad. Wollt Ihr Euch den Hals mit abschneide, nu, was is es? Ich geb's Euch so wohlfeil wie 20
ein' andern, Ihr sollt Euern Tod wohlfeil habe, aber doch
nit umsonst. Was is es? Er soll en ökonomischen Tod
habe.

WOYZECK Das kann mehr als Brod schneiden.

JUDE Zwe Grosche. 2

WOYZECK Da! *geht ab.*

JUDE Da! Als ob's nichts wär. Und es is doch Geld. Der
Hund.

allein, blättert in der Bibel.

⟨MARIE⟩ Und ist kein Betrug in seinem Munde erfunde⟨n⟩. Herrgott. Herrgott! Sieh mich nicht an. *Blättert weiter:* aber die Pharisäer brachten ein Weib zu ihm, im Ehebruche b⟨e⟩grif⟨fe⟩n und stelleten sie in's Mittel dar. – Jesus aber sprach: so verdamme ich dich auch nicht. Geh hin und sündige hinfort nicht mehr. *Schlägt die Hände zusa⟨mmen⟩.* Herrgott! Herrgott! Ich kann nicht. Herrgott gieb mir nur soviel, daß ich beten kann. *Das Kind drängt sich an sie.* Das Kind giebt mir einen Stich in's Herz. Fort! Das bäht sich in der Sonne!

NARR *liegt und erzählt sich Mährchen an d. Fingern:* Der hat d. goldne Kron, d. Herr König. Morgen hol' ich der Frau Königin ihr Kind. Blutwurst sagt: komm Leberwurst *er nimmt das Kind und wird still.*

⟨MARIE⟩ Der Franz is nit gekomm, gestern nit, heut nit, es wird heiß hier *sie macht das Fenster auf.* Und trat hinein zu seinen Füßen und weynete und fing an seine Füße zu netzen mit Thränen und mit den Haaren ihres Hauptes zu trocknen und küssete seine Füße und salbete sie mit Salben. *Schlägt sich auf d. Brust.* Alles todt! Heiland, Heiland ich möchte dir die Füße salben.

Kaserne. ⟨3,17⟩

Andres. Woyzeck, kramt in seinen Sachen.

WOYZECK Das Kamisolchen Andres, ist nit zur Montour, du kannst's brauchen Andres. Das Kreuz is mei Schwester und das Ringlein, ich hab auch noch ein Heiligen, zwei Herzen und schön Gold, es lag in meiner Mutter Bibel, und da steht:

> Leiden sey all mein Gewinst,
> Leiden sey mein Gottesdienst,
> Herr wie dein Leib war roth und wund
> So laß mein Herz seyn aller Stund.

Mei Mutter fühlt nur noch, wenn ihr die Sonn auf die Händ scheint. Das thut nix.

ANDRES *ganz starr, sagt zu Allem:* Ja wohl

WOYZECK *zieht ein Papier heraus:* Friedrich Johann Franz Woyzeck, geschworner Füsilir im 2. Regiment, 2. Bataillon 4. Compagnie geb. – d. – d. ich bin heut Mariae Verkündigung d. 20. Juli alt 30 Jahr 7 Monat und 12 Tage.

ANDRES Franz, du kommst in's Lazareth. Armer du mußt Sch⟨n⟩aps trinke und Pulver drei das tödt das Fieber.

WOYZECK Ja Andres, wann der Schreiner die Hobelspän sammelt, es weiß niemand, wer sein Kopf drauf lege wird.

⟨Ergänzungsentwurf⟩

Der Hof des Professors.   ⟨4,1⟩

Studenten unten, der Professor am Dachfenster.

⟨PROFESSOR⟩ Meine Herrn, ich bin auf dem Dach, wie
5   David, als er die Bathseba sah; aber ich sehe nichts
     als die culs de Paris der Mädchenpension im Garten
     trocknen. Meine Herren wir sind an der wichtigen
     Frage über das Verhältniß des Subjectes zum Object,
     wenn wir nur eins von d. Dingen nehmen, worin
10   ⟨sich⟩ die organische Selbstaffirmation des Göttli-
     chen, auf einem d. hohen Standpunkte manifestirt
     und Ihre Verhältnisse zum Raum, zur Erde, zum
     Planetarischen untersuchen, meine Herren, wenn
     ich dieße Katze zum Fenster hinauswerf, wie wird
15   dieße Wesenheit sich zum centrum gravitationis und
     d. eignen Instinct verhalten. He Woyzeck, *brüllt* Woy-
     zeck!
WOYZECK Herr Professor sie beißt.
PROFESSOR Kerl, er greift die Bestie so zärtlich an, als
20   wär's sei Großmutter.
WOYZECK Herr Doctor ich hab's Zittern.
DOCTOR *ganz erfreut:* Ey, Ey, schön Woyzeck. *Reibt sich
     d. Hände. Er nimmt die Katze.* Was seh' ich meine
     Herrn, die neue Species Hasenlaus, eine schöne Species,
25   wesentlich verschieden, enfoncé, der Herr Doctor. *Er
     zieht eine Loupe heraus* Ricinus, meine Herren – *die
     Katze läuft fort.* Meine Herren, das Thier hat keinen
     wissenschaftlichen Instinct.
⟨PROFESSOR⟩ Ricinus, herauf, die schönsten Exemplare,
30   bringen sie ihre Pelzkragen!
⟨DOCTOR⟩ Meine Herrn, sie können dafür was andres se-
     hen, sehn sie der Mensch, seit einem Vierteljahr ißt er

nichts als Erbsen, beackte Sie die Wirkung, fühle sie einmal was ein ungleicher Puls, da und die Augen.

WOYZECK Herr Doctor es wird mir dunkel. *Er setzt sich.*

DOCTOR C o u r a g e Woyzeck, noch ein Paar Tage und dann ist's fertig, fühlen sie meine Herrn fühlen sie, *sie betasten ihm Schläfe, Puls und Busen*
à propos, Woyzeck, beweg den Herren doch eimal die Ohre, ich hab es Ihn schon zeigen wollen. Zwei Muskeln sind bey ihm thätig. Allon⟨s⟩ frisch!

WOYZECK Ach Herr Doctor!

DOCTOR Bestie, soll ich dir die Ohrn bewege, willst du's machen wie die Katze. So meine Herrn, das sind so Uebergänge zum Esel, häufig auch in Folge weiblicher Erziehung, und die Muttersprache. Wieviel Haare hat dir deine Mutter zum Andenken schon ausgerissen aus Zärtlichkeit. Sie sind dir ja ganz dünn geworden, seit ein Paar Tagen, ja die Erbsen, meine Herren.

D. Idiot. D. Kind. Woyzeck. ⟨4,2⟩

KARL *hält das Kind vor sich auf d. Schooß:* Der is ins Wasser gefallen, der is ins Wasser gefalle, nein, der is in's Wasser gefalle.

WOYZECK Bub, Christian,

KARL *sieht ihn starr an:* Der is in's Wasser gefalle.

WOYZECK *will das Kind liebkosen, es wendet sich weg und schreit:* Herrgott!

KARL Der is in's Wasser gefalle.

WOYZECK Christianche, du bekommst en Reuter, sa sa. *Das Kind wehrt sich. Zu Karl:* Da kauf d. Bub en Reuter.

KARL *sieht ihn starr an.*

WOYZECK Hop! hop! Roß.

KARL *jauchzend:* Hop! hop! Roß! Roß *läuft mit d. Kind weg.*

Anhang

Quellen

1. Zum Fall Schmolling

Aus: *Gutachten über den Gemüthszustand des Tobacksspinnergesellen Daniel Schmolling, welcher den 25sten September 1817 seine Geliebte tödtete.* Von Horn, in: Archiv für medizinische Erfahrung im Gebiete der praktischen Medizin und Staatsarzneikunde. Hg. von den ord. öffentl. Lehrern der Heilkunde, Dr. Horn in Berlin, Dr. Nasse in Bonn und Dr. Henke in Erlangen, Jg. 1820, März/April, Berlin 1820, S. 292–367 ⟨= Horn⟩.

⟨Horn über Schmolling⟩

Der Inquisit D. S., 38 Jahr alt, lutherischer Confession, verlor seinen Vater, den Tobacksspinnermeister S. zu St., als er 6 Jahr alt war. Er wurde in der Schule bis zum dreizehnten Jahre im Lesen, Rechnen, Schreiben, und in der Religion unterrichtet. Er arbeitete eine Zeitlang als Geselle bei seiner Mutter, nach dem Tode seines Vaters, begab sich dann auf die Wanderschaft, und kehrte nach einigen Jahren nach St. zurück, arbeitete dann in S. und dann wieder in St. Während des Krieges 18. diente er zuerst als Gefreiter im zweiten Westpreußischen Landwehr-Infanterie-Regimente, und während des letzten Feldzuges 18. als Gemeiner beim vierten Churmärkschen-Landwehr-Infanterie-Regiment. Nach seiner Entlassung aus dem Militairdienste um Neujahr 18. arbeitete er eine Zeitlang in R., und seit Anfang des Jahres 18. bei einem hiesigen Tabacksspinnermeister. Vor mehreren Jahren lernte er in S. die Wittwe des Tobacksspinners L. kennen, mit welcher er einige Jahre lebte und 2 Kinder zeugte. Mit dieser Frau lebte ein etwa 6 Jahr altes Mädchen, H. L., welche ihr Mann außer der Ehe erzeugt hatte. Etwa ein Jahr nach dem Tode der Wittwe L. verheirathete sich der S. mit einer gewissen K. und zeugte mit derselben eine Tochter. Nach 3 Jahren wurde diese

Ehe getrennt. In B. besuchte ihn nach seiner Ankunft jene, jetzt erwachsene H. L., die bald mit ihm bekannter wurde, und einen vertrauten Umgang mit ihm anknüpfte. ⟨...⟩

Nach den Act. ⟨...⟩ gesteht der Inquisit, er habe sein Mädchen, die unverehelichte H⟨enriette⟩ L⟨ehne⟩ an dem genannten Abende mit einem Tischmesser erstochen. Er habe dieses Messer gefunden, und sich desselben bedient Taback zu schneiden, und nachdem ihm eingefallen sey, die L. damit zu erstechen, habe er das Messer bei sich behalten. Während der letzten drei Tage führte er dasselbe in jener Absicht bei sich, und konnte seitdem, wie er versichert, das Messer gar nicht mehr von sich lassen. ⟨S. 294–296.⟩

⟨*Schmollings Aussagen*⟩

Sie wußte es nicht, daß ich sie zu ermorden beabsichtigte, denn wenn sie es gewußt hätte, würde sie nicht mit mir gegangen sein. Ich war grade mit meiner Arbeit beschäftigt, als mir der Gedanke, die L. zu ermorden, drei Wochen zuvor zum erstenmal einfiel. Ueber den Zeitpunkt, die Verhältnisse und Umstände, unter denen mir jener Gedanke einfiel, weiß ich nichts anzugeben. Der Gedanke fiel mir ganz plötzlich ein, und ich erstaunte selbst darüber, wie ich ihn haben könnte, und gleich darauf fiel mir auch der Gedanke ein, mich selbst zu ermorden. Die L. zu ermorden war in mir der Hauptgedanke, denn hätte ich sie nicht ermorden wollen, so wäre ich nicht darauf gekommen, mich zu ermorden. Jener Gedanke fiel mir meistens ein, wenn ich die L. grade sah, oft aber, wenn ich in Gedanken stand, besonders aber, wenn sie bei mir gewesen, und wieder fortgegangen war, alsdann wurde der Gedanke besonders stark und immer heftiger. Wenn ich mich bei ihr befand, so beschäftigte mich dieser Gedanke besonders und ich wurde alsdann so stille, daß die L. dieß öfters bemerkte, vorzüglich wenn ich mit ihr allein war. Fing sie alsdann an zu sprechen, um uns lebhafter zu unterhalten, so verlor sich der Gedanke wieder, und ich konnte alsdann mit ihr scherzen, und vergnügt sein. Wenn ich während jener 3 Wochen daran dachte, so war mir so schudderig dabei zu Muthe, mir war so sonderbar, ich kann die Empfindung selbst nicht beschreiben, als wenn ich selbst mit mir verdrüßlich wäre, und dann war es wieder, als wenn mir das Schauderhafte verging, und der Gedanke an den Mord noch fester in meinem Herzen blieb. Manchmal wurde ich ordentlich böse auf mich, wenn ich an dieses Vorhaben dachte. Dann suchte ich mich davon zu befreien, und bat meine Mitarbeiter, ein wenig zu singen, und so verschwanden die Gedanken wieder. Während der letzten drei Wochen habe ich mich oft mit der L. fleischlich vermischt. War gutes Wetter, so ging ich gewöhnlich des Abends zu ihr hinaus, und meistens haben wir uns alsdann, wenn die Gelegenheit sich dazu fand, fleischlich vermischt; doch geschah dies nicht bei jedem Besuch. Der Gedanke, daß ich die L. ermorden wollte, hinderte mich durchaus nicht daran, mit ihr den Beischlaf zu vollziehen, denn ich liebte sie darum sehr, und wollte sie nicht aus Haß ermorden. Weil mir der Gedanke von selbst gekommen war, so hinderte er mich auch nicht am Beischlaf mit ihr. Dieser Umgang änderte meine Absicht, sie zu ermorden nicht; der Gedanke blieb immer in meinem Herzen. Als ich den letzten Montag vor der That, den Abend sie besuchte, wurde in mir der Gedanke besonders lebhaft. Ich betete zu Gott, daß er mir denselben aus dem Herzen nehmen möchte. Allein ich konnte ihn nicht los werden, und nahm mir nun fest vor, die L. zu ermorden. Ich ließ mich noch am Dienstag Morgen zur Ader, um den Gedanken los zu werden, und am Mittwoch suchte ich mich durch Arbeit zu zerstreuen, so daß erst in der Nacht vom Mittwoch zum Donnerstag der Entschluß ganz fest in meinem Herzen wurde, die L. zu ermorden. Seit den letzten drei Tagen beschäftigte mich der Gedanke, die L. ermorden zu wollen, unaufhörlich, und ich konnte ihn gar nicht los werden.

Am Mittwoch bat ich noch meine Mitarbeiter zu singen, und sang mit ihnen, um den Gedanken abzuwehren, aber ich konnte ihn nicht los werden, und eben so bemühte ich mich deshalb in der Nacht vom Donnerstag vergebens. Ich war selbst unwillig auf mich, daß ich so etwas beabsichtigen, und mich nicht zwingen konnte, diesen Gedanken fahren zu lassen, da ich doch meine volle Besinnung hatte. Dabei befand ich mich besonders des Nachts in einer Angst, die ich nicht weiter beschreiben kann.

Ganz unerhört stark wurde diese Angst in der Nacht vom Mittwoch zum Donnerstag, am allerstärksten aber in dem Augenblicke, als kurz vor Vollführung der That die L. mit ihrem Abendbrodte aus dem Hause ihrer Brodherrschaft, in das sie hineingegangen war, wieder herauskam. Da war mir zu Muthe als müßte ich selbst mit dem Tode ringen. Da war die Empfindung so heftig, daß sie nicht mehr heftiger werden konnte, und in diesem gleichen Maaße hielt sie an, bis ich die That wirklich vollbracht hatte. So wie ich die L. erstochen hatte, hörte diese heftige Empfindung auf. In der Nacht vom Montag auf den Dienstag, schlief ich zwar, doch wachte ich alle Augenblick auf, und dann trat mir immer der Gedanke, die L. zu ermorden, vor die Seele, und dabei fühlte ich eine heftige Angst und Unruhe, welche mich nicht schlafen ließ. Am Dienstag Morgen empfand ich noch immer diese Angst, und fühlte dabei Stichschmerzen, an denen ich öfters litt, wenn ich etwas Schweres gehoben hatte. Diese Schmerzen legten sich nach dem Aderlaß, allein die Beängstigung dauerte fort. Wegen des Aderlaßens konnte ich nicht arbeiten, und gieng deshalb schon 10 Uhr Morgens zur L. hinaus, bei der ich den ganzen Tag bis Abends 10 Uhr blieb.
In der Nacht vom Dienstag zum Mittwoch war meine Angst noch stärker, wie zuvor. Am Mittwoch beschäftigte ich mich den ganzen Tag mit meiner gewöhnlichen Arbeit. Gegen Abend wurde die Beängstigung so stark, daß ich es bei der Arbeit nicht aushalten konnte, weshalb ich noch meinen Mitarbeiter *Boelke* bat, den Rest meiner Arbeit zu vollenden, und selbst nach der Hasenheide zur L. hinaus ging. Am Mittwoch Abend fühlte ich einen noch heftigern Antrieb, die L. zu ermorden, als den Abend zuvor; allein auch jetzt war es mir noch immer, als wenn mir Jemand zuflüsterte: laß es noch, bis Morgen! weshalb es an diesem Abend nicht dazu kam. In der darauf folgenden Nacht vom Mittwoch zum Donnerstag hatte ich fast keinen Augenblick Ruhe. Ich hatte eine solche Angst, daß ich nicht wußte, was ich machen sollte, eine Angst, die ich nicht beschreiben kann, und bei der mir der Schweiß ausbrach. Ich flehte zu Gott, daß er mir den Mordgedanken aus der Seele nehmen möchte, allein alles dieses half nichts. Ich konnte den Gedanken gar nicht mehr los werden, so daß ich nun auch dachte, daß ich es thun

müßte, und mir ganz fest vornahm, die That wirklich zu vollführen. Hätte ich einen Bruder, oder nahen Verwandten gehabt, so würde ich mich demselben mitgetheilt haben, allein einem Fremden wollte ich nicht sagen, was in mir vorging, weil man mich sonst für verrückt gehalten haben würde.

In der Nacht vom Mittwoch zum Donnerstag hatte ich so stark geschwitzt, daß ich mich schwach und unwohl fühlte, und da auch bei Tage der Schweiß anhielt, blieb ich im Bette liegen. Zwischen 3 und 4 Uhr, zu der Zeit, besuchte mich die L. auf eine Viertelstunde, rieth mir, da ich unwohl war, mich ein wenig zu vertreten, und bat mich, ihr ein paar Schuh von ihrer Schwester abzuholen, und nach der Hasenheide heraus zu bringen, welches ich ihr versprach, worauf die L. wieder fortgieng. Ich besorgte diesen Auftrag, gieng dann zum Speisewirthe *Pohlmann*, um etwas zu genießen, und hierauf zur L. nach der Hasenheide, wo ich mich bis zu meiner Verhaftung befand. Während ich in meiner Schlafstelle war, habe ich bis zum Donnerstag nichts genoßen, war noch ganz nüchtern, als ich zum Speisewirth *Pohlmann* ging. Bei ihm kaufte ich etwas Speck und Brod, wovon ich einen Theil genoß, und das Uebrige zu mir steckte. Dabei trank ich bei ihm ein kleines Glas Halbbier, und zwei Gläser von dem gewöhnlichen Kümmelbrandtwein. Von diesem Kümmel ließ ich mir noch etwas in eine kleine Flasche gießen, höchstens für 3 Gr. Münze. Von diesem mitgenommenen Schnaps gab ich auf dem Wege nach der Heide heraus, einem Schlächtergesellen, den ich traf, zu trinken, und dieser trank wohl die Hälfte davon aus. Von dem übrigen gab ich kurz zuvor, ehe ich die L. ermordete, ihr ein wenig zu trinken, ohne selbst davon mitzutrinken, den Rest trank ich selbst aus, kurz nachher, als ich die L. erstochen hatte. Ich ging am Donnerstag Abend zur L. heraus, weil ich ihr die Schuh zu bringen versprochen hatte; zugleich aber, weil ich sie erstechen wollte, und zu diesem Behufe schärfte ich auf dem Wege auf einem Steine das mitgenommene Messer. Die L. kam mir schon entgegen, und hieß mich auf dem Wege nach den Fichten hingehen, indem sie gleich nachkommen wollte, um dort Kienäpfel zu sammeln. Ich gieng dann mit der L. zusammen nach den Fichten, bis zur Dämmerung, worauf sie mich kurze Zeit verließ, und in die Wohnung ihrer Herrschaft ging. Bei dem Suchen der Kienäpfel war ich behülflich. Ich stand im Begriff, die L. dabei zu ermorden, und machte mich mehrmals dazu fertig, allein die Gelegenheit war dazu nicht passend, da sie beim Suchen sich stets bewegte, und es meine Absicht war, sie so zu stechen, daß sie gleich todt wäre. Die L. gieng jetzt in das Haus ihrer Herrschaft zurück, das Abendbrod zu bereiten, doch bat ich sie, daß sie wieder heraus kommen, und mich begleiten möchte.

Sie verweigerte dies Anfangs, da sie keine Zeit dazu habe. Allein ich bat sie so lange, bis sie versprach, wenn sie könnte, wieder heraus(zu)kommen, was nach einer halben Stunde geschah. Während dieser Zeit stand ich dem Hause, worin sie sich befand gegenüber. Ich fühlte dabei eine heftige Angst, und hielt das Messer, womit ich die That vollführen wollte, jetzt schon immer in meinem Rockärmel, und dachte bei mir selbst, wenn mir Gott doch den Gedanken aus dem Herzen nehmen wollte; allein dieser Gedanke wurde immer fester, und nun dachte ich an nichts mehr, als wenn sie doch nur bald herauskäme, damit es bald vollführt wäre. Als die L. wieder heraus kam, hatte sie ihr Abendbrod in der Hand. Wir gingen hierauf zusammen die Allee hinunter, und die L. gab mir ein wenig von ihrem Butterbrodte ab. Der L. gab ich ein wenig von dem mitgenommenen Speck, und von meinem Schnaps zu trinken. Zwar that ich, als ob ich selbst davon tränke, doch trank ich keinen davon, denn mir wurde zu wunderlich zu Muthe, und zu angst, darum wollte ich keinen Schnaps trinken.

Ich bat die L. sich noch ein wenig bei mir zu setzen, weil ich sie im Sitzen besser als im Stehen ermorden konnte. Wir setzten uns an einen der Weidenbäume nieder, und als wir hier neben einander saßen, sie links von mir, umarmte ich sie mit meinem linken Arme, und fragte sie: Wenn ich hier so sterben thäte, würdest du dann wohl mit mir sterben?

Da antwortete sie, daß ich mir doch solche Gedanken nicht machen sollte, doch setzte sie hinzu: wenn du stirbst, dann sollte kein Anderer mehr an meine Seite kommen.

Als sie dieses antwortete, hatte ich mein Messer schon aus dem Aermel herausgenommen, und hielt es in der Hand.

Dieses nahm ich jetzt, und stieß ihr dasselbe in die Herzgrube, wobei ich noch sagte:

»Nun so soll auch keiner an deine Seite kommen, und dann ist auch hier der Fleck, wo wir beide sterben wollen.«

Ich suchte ihr das Messer gerade ins Herz zu stechen, damit sie sich nicht lange quälen, sondern gleich todt sein sollte.

Ich stach das Messer ganz hinein, bis an die Schaale, woran ich es hielt.

In dem Augenblicke, wo ich die That verübte, war mir schrecklich zu Muthe, die Empfindung die ich hatte, kann ich gar nicht beschreiben, mir war so schaudrig, und ich hatte eine solche Angst, daß ich mir selbst die Empfindung nicht vorstellen kann, die ich in dem Augenblick hatte.

Nach der That war mir, als wäre mir ein Stein vom Herzen gefallen.

Dann zog ich das Messer sogleich wieder heraus, da griff die L. nach dem Messer, hielt es, und sagte mir: ich sollte sie nicht mehr stechen, und ich antwortete, ich wollte sie auch nicht mehr, sondern mich selbst erstechen, worauf sie das Messer loslies. Ich sprang auf, riß mir den Rock auf, um mich selbst zu erstechen.

Da sah ich von der andern Seite des Fahrweges, jenseits des Ganges, drei Leute, wie Soldaten, kommen. Ich sprang darum um die Ecke den Kieselgang hinein, und fand eine Art Durchweg über den Graben. Hier wollte ich durchspringen und dann jenseits des Grabens, der L. gegenüber, auch mich erstechen. Ich sprang aber gegen einen Strauch, der mir das Messer aus der Hand schlug. Ich suchte nach demselben im Gange, konnte es aber nicht finden. Jetzt kamen Leute herbei, ich ging daher raschen Schrittes nach der Wiese zurück, rechts um die Ecke, vor der L. vorüber, die noch auf demselben Flecke lag, wo ich sie erstochen hatte, und gieng, ohne mich bei ihr aufzuhalten, schnell, dann langsamen Schrittes, um einen Stein zu suchen, und mir damit den Kopf einzuschlagen. Ich fand auch einen Stein in der Größe einer Faust, allein da dachte ich bei mir selbst, daß ich mich damit nicht ganz würde erschlagen können, und fand auch, daß ich noch eine größere Sünde begehen würde, wenn ich mich selbst ermordete. Zugleich hörte ich in der Entfernung, daß man von erstechen sprach, und es schien mir, als hielte man Jemand an, den man für den Thäter hielt. Darum wollte ich mich lieber selbst angeben, und dem Richter überliefern. Auf dem Rückwege fühlte ich zufällig die Schnapsflasche in meiner Tasche, und trank, da mir so wunderlich zu Muthe war, den Rest aus.

Als ich zurück kam, fand ich die L. nicht mehr an demselben Flecke, sondern an dem Gange neben dem Zaun liegend, und neben ihr stand ein Mann, der noch mehrere rief.

Ich bückte mich über die L. hin, und fragte sie: bin ich es nicht, der dich erstochen hat? worauf sie leise Ja! antwortete, und dann sagte ich zu den nebenstehenden Mann gewendet: ja ich bin derjenige, der sie erstochen hat! –

Weil ich mein Leben zu verlieren wünschte, so übergab ich mich dem Gerichte, damit ich die Strafe der Hinrichtung empfinge, und da ich jetzt mich selbst ums Leben zu bringen, für eine Sünde erkannte. Auch jetzt sehne ich mich sehr nach dem Ende meines Lebens, so daß ich gleich auf der Stelle jede schreckliche Todesart erleiden möchte.

Vor meiner Abführung wünschte ich noch von der L. Abschied zu nehmen, und ihr einen Kuß zu geben, allein man wollte es nicht erlauben, und so wurde ich weggeführt. Ich habe durchaus keine Ursache gehabt, die L. zu ermorden; der Gedanke dieses zu thun, ist mir ganz von selbst eingefallen, und ich begreife selbst nicht, wie er in mich gekommen.

Er wurde bei mir zum Vorsatz, weil ich mich seiner gar nicht wehren konnte. Meine einzige Bitte und Wunsch ist, daß ich nicht zur Gefängnisstrafe, sondern zur Todesstrafe verurtheilt werden möge, da ich solche verdient habe.

⟨S. 299–310.⟩

2. Zum Fall Woyzeck

Aus: *Die Zurechnungsfähigkeit des Mörders Johann Christian Woyzeck, nach Grundsätzen der Staatsarzneikunde aktenmäßig erwiesen* von Dr. Johann Christian August Clarus ⟨…⟩, in: Zeitschrift für die Staatsarzneikunde, hg. v. Adolph Henke ⟨…⟩, 4. Ergänzungsheft, Erlangen 1825, S. 1–97 ⟨= Clarus 2⟩, (Einzeldruck Leipzig 1824 unter dem gleichen Titel).

Vorwort.

Eine Handlung der strafenden Gerechtigkeit, wie sie der größere Theil der gegenwärtigen Generation hier noch nicht erlebt hat bereitet sich vor. Der Mörder *Woyzeck* erwartet in diesen Tagen, nach dreijähriger Untersuchung, den Lohn seiner That durch die Hand des Nachrichters. Kalt und gedankenlos kann wohl nur der stumpfsinnige Egoist, und mit roher Schaulust nur der entartete Halbmensch diesem Tage des Gerichtes entgegen sehen. Den Gebildeten und Fühlenden ergreift tiefes, banges Mitleid, da er in dem Verbrecher noch immer den Menschen, den ehemaligen Mitbürger und Mitgenossen der Wohlthaten einer gemeinschaftlichen Religion, einer seegensvollen und milden Regierung, und so mancher lokalen Vorzüge und Annehmlichkeiten des hiesigen Aufenthalts erblickt, der, durch ein unstätes, wüstes, gedankenloses und unthätiges Leben von einer Stufe der moralischen Verwilderung zur andern herabgesunken, endlich im finstern Aufruhr roher Leidenschaften, ein Menschenleben zerstörte, und der nun, ausgestoßen von der Gesellschaft, das seine auf dem Blutgerüste durch Menschenhand verlieren soll;

Aber neben dem Mitleiden und neben dem Gefühl alles dessen, was die Todesstrafe Schreckliches und Widerstrebendes hat, muß sich, wenn es nicht zur kränkelnden Empfindelei, oder gar zur Grimasse werden soll, der Gedanke an die *unverletzliche Heiligkeit des Gesetzes* erheben, das zwar, so wie die Menschheit selbst, einer fortschreitenden Milderung und Verbesserung fähig ist, das aber, so lange es besteht, zum Schutz der Throne und der Hütten auf strenger Waage wägen muß, wo es schonen und wo es strafen soll, und das von denen, die ihm dienen, und die es als Zeugen, oder als Kunstverständige, um Aufklärung befragt, *Wahrheit* und nicht Gefühle verlangt.

Eine solche Aufklärung ist in *Woyzecks* Kriminalprozeß, als es zweifelhaft geworden war, *ob er seines Verstandes mächtig*, und mithin *zurechnungsfähig sey*, oder nicht, von mir, als Physikus hiesiger Stadt, erfordert worden, und es ist wohl keinem Zweifel unterworfen, daß die hierdurch veranlaßte Untersuchung seines Seelenzustandes und die Begutachtung desselben einen entscheidenden Einfluß auf sein Schicksal gehabt hat.

Unter diesen Umständen glaubte ich es dem verehrten Publikum, so wie mir selbst, schuldig zu seyn, dieses wichtige Aktenstück, welches ich anfänglich für eine später zu veranstaltende Sammlung wichtiger gerichtsärztlicher Verhandlungen bestimmt hatte, mit Bewilligung der Kriminalbehörde, schon jetzt öffentlich bekannt zu machen, und die zur allgemeinen Uebersicht der Sache gehörigen Nachrichten aus den Akten hinzuzufügen.

Jeder gebildete Leser wird aus dieser Schrift nicht nur die ganz eignen Schicksale des Delinquenten, sondern auch die Thatsachen, welche Zweifel an dessen Zurechnungsfähigkeit erregten, und die Gründe, welche für die letztere entschieden haben, vollständig kennen lernen. – Dem Psychologen werden die sonderbare Mischung des Charakters, und die Aeusserungen dieses Menschen, Stoff zu mannigfaltigen Betrachtungen geben. – Der Rechtsgelehrte wird den eigenthümlichen Gang dieses Prozesses bemerkenswerth finden, der nach zweimaliger Vertheidigung des Inquisiten, nach Fällung eines gleichlautenden Urtheils durch zwei verschiedne Dikasterien, und nach landesherrlicher Bestätigung desselben, bis zur Vollstreckung der Execution fortgeschritten war, aber noch im letzten Augenblicke, auf die einfache Anzeige eines Privatmannes, zu einer ganz neuen Untersuchung führte, welche die Bestätigung des ersten Urtheils zur Folge hatte. – Dem Gerichtsarzt endlich bietet diese Schrift die sehr schwierige Bearbeitung eines zweifelhaften Seelenzustandes dar, der in Rücksicht auf den Umfang der zu beurtheilenden

Thatsachen, in den Annalen dieser Wissenschaft, meines Wissens, keine gleich kommt. Alle Leser aller Stände aber werden, wie ich hoffe, Gelegenheit haben sich zu überzeugen, daß bei dieser, Leben und Tod entscheidenden Untersuchung, mit Fleiß, Gewissenhaftigkeit und treuer Wahrheitsliebe zu Werke gegangen worden ist. Dieselbe Wahrheitsliebe und Gewissenhaftigkeit macht es mir zur Pflicht dem würdigen Vertheidiger dieses Delinquenten, Herrn Handelsgerichtsaktuarius *Hänsel*, obgleich er in dieser Sache mein Gegner gewesen ist, hier öffentlich zu bezeugen: daß er mit unermüdetem Eifer, und mit dem rühmlichsten Aufwand von Scharfsinn und Kenntnissen seinem Schutzbefohlnen gedient, und bis zum letzten Augenblick kein Gnadenmittel unversucht gelassen hat, um die Erlassung der Todesstrafe zu erwirken. Zugleich fühle ich ihm mich zu dem aufrichtigsten Danke verbunden, daß er nicht mit den bekannten Waffen der Defensoren vom gewöhnlichen Schlage gegen mich in die Schranken getreten ist, sondern mit der Ruhe und dem Anstand, wie sie gebildeten und ihres Faches kundigen Männern gegen andere Sachverständige geziemt, meine Ansichten bestritten hat.

Und so hoffe ich denn, daß durch Lesung dieser Schrift das Publikum sich in der Ueberzeugung bestärken werde, daß alle Diejenigen, denen auf die Entscheidung dieses wichtigen Rechtsfalles einiger Einfluß zu Theil geworden ist, ihre Pflicht so weit nur immer menschliche Kräfte reichen, redlich erfüllt haben, und daß es, bei einer ganz nahe liegenden Vergleichung desselben mit dem berüchtigten *Fonk*'schen Prozesse, mit mir das Glück erkennen müsse, in einem Lande zu leben, wo nicht unwissende Geschworne, bei unvollständigen Beweisen, nach einem dunkeln moralischen Gefühl über Leben und Tod richten, sondern wo Thatsachen und Urtheile, von denen Menschenleben abhängt, der strengsten und vielseitigsten Prüfung unterworfen, und selbst dem überwiesenen Verbrecher, beim mindesten Anscheine einer Verminderung seiner Schuld, eine neue Frist, und eine neue Untersuchung verstattet, der Publicität solcher Verhandlungen aber kein Hinderniß in den Weg gelegt wird.

Mögen daher alle, welche den Unglücklichen zum Tode begleiten, oder Zeugen desselben seyn werden, das Mitgefühl, welches der Verbrecher als Mensch verdient, mit der Ueberzeugung verbinden, daß das Gesetz, zur Ordnung des Ganzen, auch gehandhabt werden müsse, und daß die Gerechtigkeit, die das Schwerdt nicht umsonst trägt, *Gottes* Dienerin ist. – Mögen Lehrer und Prediger, und alle Diejenigen, welche über Anstalten des öffentlichen Unterrichts wachen, ihres hohen Berufs eingedenk, nie vergessen, daß von ihnen eine bessere Gesittung und eine Zeit ausgehen muß, in der es der Weisheit der Regierungen und Gesetzgeber möglich seyn wird, die Strafen noch mehr zu mildern, als es bereits geschehen ist. – Möge die heranwachsende Jugend bei dem Anblicke des blutenden Verbrechers, oder bei dem Gedanken an ihn, sich tief die Wahrheit einprägen, daß Arbeitsscheu, Spiel, Trunkenheit, ungesetzmäßige Befriedigung der Geschlechtslust, und schlechte Gesellschaft, ungeahnet und allmählich zu Verbrechen und zum Blutgerüste führen können. – Mögen endlich alle, mit dem festen Entschlusse, von dieser schauerlichen Handlung, zurückkehren: Besser zu *seyn*, damit es besser *werde*.

Leipzig den 16. August 1824.

Am 21. Juni des Jahres 1821, Abends um halbzehn Uhr, brachte der Friseur *Johann Christian Woyzeck*, ein und vierzig Jahr alt, der sechs und vierzig jährigen Wittwe des verstorbenen Chirurgus *Woost, Johannen, Christianen*, gebornen *Otto'in* in dem Hausgange ihrer Wohnung auf der Sandgasse, mit einer abgebrochnen Degenklinge, an welche er desselben Nachmittags einen Griff hatte befestigen lassen, sieben Wunden bei, an denen sie nach wenigen Minuten ihren Geist aufgab ⟨...⟩.

Der Mörder wurde gleich nach vollbrachter That ergriffen, bekannte selbige sofort unumwunden, recognoscirte vor dem Anfange der gerichtlichen Section, sowohl das bei ihm gefundene Mordinstrument, als den Leichnam der Ermordeten, und bestätigte die Aussagen der abgehörten Zeugen ⟨...⟩.

Nachdem bereits die erste Vertheidigungsschrift eingereicht worden war (den 16. August 1821), fand sich der Vertheidiger, durch eine in auswärtigen öffentlichen Blättern verbreitete Nachricht, daß *Woyzeck* früher mit periodischem Wahnsinn behaftet gewesen, bewogen, auf eine gerichtsärztliche Untersuchung seines Gemüthszustandes anzutragen (am 23. August 1821).

In den dieserhalb mit dem Inquisiten gepflogenen fünf Unterredungen (am 26., 28. und 29. August; und am 3. und 14. September), führte derselbe zwar an, daß er sich schon seit seinem dreißigsten Jahre zuweilen in einem Zustande von Gedankenlosigkeit befunden, und daß ihm, bei einer solchen Gelegenheit einmal Jemand gesagt habe: *du bist verrückt und weißt es nicht*, zeigte aber in seinen Reden und Antworten, ohne alle Ausnahme, Aufmerksamkeit, Besonnenheit, Ueberlegung, schnelles Auffassen, richtiges Urtheil und ein sehr treues Gedächtniß, dabei aber weder Tücke und Bosheit, noch leidenschaftliche Reizbarkeit oder Vorherrschen irgend einer Leidenschaft oder Einbildung, desto mehr aber moralische Verwilderung, Abstumpfung gegen natürliche Gefühle, und rohe Gleichgültigkeit, in Rücksicht auf Gegenwart und Zukunft. – Mangel an äußerer und innerer Haltung, kalter Mismuth, Verdruß über sich selbst, Scheu vor dem Blick in sein Inneres, Mangel an Kraft und Willen sich zu erheben, Bewußtseyn der Schuld, ohne die Regung, sie durch Darstellung seiner Bewegungsgründe, oder durch irgend einen Vorwand zu vermindern und zu beschönigen, aber auch ohne sonderliche Reue, ohne Unruhe und Gewissensangst, und gefühlloses Erwarten des Ausganges seines Schicksals waren die Züge, welche seinen *damaligen* Gemüthszustand bezeichneten ⟨...⟩.

Bei Durchsicht der Akten.

Der Inquisit *Woyzeck* stammt von durchaus rechtschaffenen Eltern, die ihren gesunden Verstand bis an ihr Ende behalten, und nie eine Spur von Tiefsinn oder Verstandeszerrüttung gezeigt haben. (Vol. I Fol. etc.). Nachdem er in seinem achten Jahre seiner Mutter, und im dreizehnten Jahre seines Vaters, der sich zwar um seine Erziehung wenig bekümmert, ihn aber nicht hart behandelt, und für seinen Unterricht in der Freischule auf eine, seinem Stande und seinem Vermögen angemessene,

Weise gesorgt hatte, durch den Tod beraubt worden, hat er die Perückenmacherprofession erlernt, und hierbei zwar seinen ersten Lehrherrn aus eigenem Antriebe verlassen, sich aber nach dem Zeugnisse von Personen, welche ihn damals gekannt haben, bis zu seinem achtzehnten Jahre, wo er sich auf die Wanderschaft begeben, jederzeit sehr gut, ruhig und verständig betragen, und niemals eine Spur von Verstandesverwirrung oder Tiefsinn an sich blicken lassen. Nach sechsjährigen Reisen, auf denen er in Wurzen, Berlin, Breslau, Teplitz und Wittenberg, bald als Friseur, bald als Bedienter, conditionirt hat, von welchem Zeitraume aber über seine Aufführung und Gemüthsverfassung keine Nachrichten bei den Akten befindlich sind, ist er nach Leipzig zurückgekehrt und hat hier, in Ermanglung anderer Beschäftigung, eine Zeitlang Kupferstiche illuminirt, hierauf im Magazine gearbeitet, und zuletzt wieder eine Bedientenstelle bei dem Kammerath *Honig*, in Barneck angenommen. Während dieser Zeit hat er sich, nach dem Zeugnisse des damaligen Kutschers *Heuß*, der mit ihm täglich zusammen gewesen ist, sehr gut, gesetzt und fleißig betragen, keine Veranlassung zu Klagen gegeben, und keine Spur von Tiefsinn oder Verstandesverrückung an sich bemerken lassen. Ebenso bezeugt die Traugottin, damals Schindelin, mit der er bei dem Wattenmacher Richter zusammengewohnt, und Umgang gehabt hat, daß er heitern Gemüths, nicht zänkisch und streitsüchtig, sondern vielmehr recht ruhig, bescheiden und verständig gewesen sey. Da aber diese Person späterhin, als sie bei dem M. Buschendorf in Diensten gewesen, seine Bewerbungen, um derentwillen er fast täglich von Barneck hereingekommen ist, und ihr theils in der Allee, theils im Hause aufgelauert hat, nicht mehr annehmen wollen, hat er ihr nicht nur (nach der von ihr beschwornen Aussage) einstmals in der Feuerkugel mit den Worten: Höre, Canaille, du willst mir untreu werden, mehrere Schläge an den Kopf gegeben, weshalb sie ihn auf dem Rathause denuncirt hat, sondern auch bald darauf Abends zwischen zehn und eilf Uhr an die Thür ihrer Wohnung in Englers Hause geklopft, und als sie geöffnet, ihr, da sie blos mit einem Mantel bekleidet gewesen, an die Brust gegriffen, sie auf den Hof zu ziehen gesucht, und ihr dabei (nach ihrer Aussage) mit einem großen Mauersteine, nach

seinem Eingeständnisse aber mit der Faust, in der er einen
Schlüssel gehabt und in der Absicht ihr eins zu versetzen, oder
ihr ein Andenken zu hinterlassen und mit den Worten: Luder, du
mußt sterben, zwei Schläge auf den Kopf gegeben und ihr eine
Wunde von der Größe eines Kupferdreiers beigebracht, hierauf
aber sich entfernt und am folgenden Tage in Gesellschaft seines
Stiefbruders Richter, jedoch ohne diesem zu sagen, daß es der
Schindelin wegen geschehe, auch ohne daß dieser die geringste
Spur von Verstandesverrückung an ihm wahrgenommen hat,
Leipzig verlassen. Nach einer mit Richtern über Berlin bis Posen
gemachten zehnwöchentlichen Reise, ist er im Jahr 1806 nach
der Schlacht bei Jena zu Grabow im Meklenburgischen in Hol-
ländische, sodann, nachdem er am 7. April 1807 vor Stralsund
von den Schweden gefangen und nach Stockholm tramsportirt
worden, in Schwedische, hierauf als nach dem Feldzuge in Finn-
land und der Entthronung Gustavs IV. sein Regiment nach Stralsund versetzt und allda von den Franzosen entwaffnet worden,
in Mecklenburgische, nach dem Feldzuge in Rußland durch
Desertion wieder in Schwedische und zuletzt nach der Abtre-
tung von Schwedisch-Pommern, in Preußische Kriegsdienste getreten, aus denen er im Jahr 1818 seinen Abschied erhalten hat.
⟨...⟩ Ausführlicher, und diesen frühern Aussagen zum Theil wi-
dersprechend, gibt er bei seinen neuen Vernehmungen an, daß er
im Jahre 1810 Umgang mit einer ledigen Weibsperson, der
Wienbergin, gehabt, mit dieser ein Kind gezeugt, während der
Zeit, als er bei den Mecklenburgischen Truppen gestanden, auf
die Nachricht, daß sich diese Person unterdessen mit andern
abgebe, zuerst eine Veränderung in seinem Gemüthszustande
bemerkt, dieserhalb sich wieder zu den Schweden begeben,
und den frühern Umgang mit ihr fortgesetzt habe. Diese Veränderung habe sich dadurch geäussert, daß er ganz still geworden und von seinen Kameraden deßhalb oft vexirt worden sey,
ohne sich ändern zu können, so daß er, ob er gleich seine Gedanken möglichst auf das zu richten gesucht, was er gerade
vorgehabt, es nichts destoweniger verkehrt gemacht habe, weil
ihm zuweilen auf halbe Stunden lang, oft auch nur kürzere Zeit,
die Gedanken vergangen seyen. Mit dieser Gedankenlosigkeit
habe sich späterhin, in Stettin, ein Groll gegen einzelne Personen

verbunden, so daß er, gegen alle Menschen überhaupt erbittert, sich von ihnen zurückgezogen habe und deßwegen oft ins Freie gelaufen sey. Ueberdieß habe er beunruhigende Träume von Freimaurern gehabt und sie mit seinen Begegnissen in Beziehung gebracht. Als er eines Nachmittags mit seinen Kameraden in einer Stube gewesen, habe er Fußtritte vor derselben gehört, ohne diesfalls etwas entdecken zu können, und es für einen Geist gehalten, weil ihm einige Tage vorher von einem solchen geträumt habe. Seine Unruhe habe fortgedauert, als er von Stettin nach Schweidnitz und Graudenz in Garnison gekommen sey, und er habe, als ihm ein Traum die Erkennungszeichen der Freimaurer offenbart, geglaubt, daß ihm diese Wissenschaft gefährlich werden könne, und daß er von den Freimaurern verfolgt werde. Auch habe er am letztern Orte einmal des Abends am Schloßberge eine Erscheinung gehabt und Glockengeläute gehört, ein andermal aber habe ihm des Nachts auf dem Kirchhofe jemand, den er nicht gewahren können, mit barscher Stimme einen guten Morgen geboten.

Nach seiner Zurückkunft hieher im December 1818 hat er bis zur Ausführung der Mordthat, nach und nach folgende Wohnungen und Beschäftigungen gehabt und dabei, seinem Anführen nach, folgende Begegnisse erlebt:

1) *bei Steinbrücken*, wohin ihn die *Woostin* gebracht, ihn dort für ihren Liebsten ausgegeben und den Miethzins für ihn bezahlt, und wo er, weil er kein Verdienst und Beschäftigung gehabt, von Unterstützungen gelebt hat. Er selbst sagt im Allgemeinen, daß sein Zustand und seine Idee von Verfolgung durch Freimaurer hier fortgedauert und daß ihm das *Herz manchmal sehr stark geschlagen habe.* ⟨...⟩

Nach einem Aufenthalt von 6 Wochen ist er

2) zu dem Juden *Samson Schwabe* in Dessau gekommen, den er in einer Krankheit gewartet hat und bei dem er wiederum 6–7 Wochen geblieben ist. Dieser versichert, daß er, wenn er nicht betrunken gewesen, sich gut und sehr vernünftig betragen und nie Ursache gegeben habe, an seinen gesunden Verstandeskräften zu zweifeln, daß er aber den Trunk in hohem Grade geliebt habe, und daß die gegen ihn, als er ihm in einer solchen Periode hoher Trunkenheit alles verkehrt gemacht habe, gebrauchte

Aeusserung: Kerl, du bist verrückt und weißt es nicht; sich blos auf seinen trunkenen Zustand, keineswegs auf eigentliche Verstandeszerrüttung beziehe.

3) Vom Februar 1819 bis zu Johannis 1820 bei der Stiefmutter der *Woostin*, der Wittwe *Knoblochin* in dem Hause des Gelbgießers *Warnecke*, in welchem dessen Pachter *Jordan* eine Schenkwirthschaft treibt; wo er bald auf den Wollboden des Herrn Knobloch gearbeitet, bald auf Empfehlung der Knoblochin bei dem Buchbinder *Wehner* in Volksmarsdorf Papparbeit gemacht, bald für den Buchhändler *Klein* illuminirt, auch während dieser Zeit dem Buchhalter Herrn *Lang* und dem Hrn. M. *Gebhard*, ingleichen während der Messe den Fremden *Benedix* bedient hat. ⟨...⟩ Mehrere derselben, nämlich Warnecke und Wehner, haben bemerkt, daß er den Branntwein geliebt und manchmal zu viel getrunken habe, auch hat die Knoblochin darüber gegen Jordan geklagt.

Letztere sagt übrigens, daß *Woyzeck* mit ihrer Tochter Umgang gehabt, aber wegen ihres häufigen Umganges mit Soldaten Eifersucht gefaßt, die *Woostin* mehreremale gemißhandelt und so viel Lärm und Unruhe gemacht habe, daß sie ihm auf Warneckes Verlangen das Logis aufsagen müssen. Den Vorfall, der hierzu Veranlaßung gegeben hat, erzählt Warnecke folgendermaßen: Er, Warnecke, habe einstmals zu Woyzecken in der Jordanschen Schenkwirthschaft gesagt: Hier, *Woyzeck*, Mordhahn, willst du ein Glas Schnaps trinken? Woyzeck aber ihm hierauf eine pöbelhafte Antwort gegeben, und als er selbst sich hierauf bestürzt gegen Jordan gewendet, mit den Worten: der Kerl pfeift dunkelblau, sich entfernt. Als nun hierauf Warnecke der Knoblochin habe sagen lassen, sie müsse ausziehen, wenn sie Woyzeck nicht fortschaffe, habe ihm dieser, ehe noch solches geschehen, mehrere Briefe und in einem derselben die (gereimten) Worte geschrieben: Der Sachse bietet Frieden dem türkischen Sultan an, er ist doch nicht zufrieden, wenn er nicht prügeln kann. – Als nun Warnecke, bei Lesung dieses Briefes, gesagt: Nun kriegt der Kerl Prügel, wenn er wieder kommt, habe Woyzeck, der den Brief selbst gebracht und, und in der Küche stehend, diese Worte gehört habe, erwiedert: da lauert er eben drauf, worauf Warnecke ihm einige Hiebe gegeben, und jener nach deren Empfang gesagt habe: das ist rechtschaffen gedacht, nun sind wir quitt, Wurst wieder Wurst! Ueber diesen Auftritt, bei dem nach Warneckes Vermuthung, Woyzeck etwas betrunken gewesen seyn soll, was jedoch Jordan unwahrscheinlich findet, äußert sich Woyzeck, er habe geglaubt, Warnecke wolle ihn für den Narren halten. Da nun dessenungeachtet Woyzeck von der Knoblochin ausziehen müssen, hat er sich abermals

4) *bei der Steinbrückin* 14 Tage lang aufgehalten, und dabei verwogen und weil er keine Arbeit gehabt, tiefsinnig und betrübt ausgesehen, die Mütze tief ins Gericht gerückt, als ob er sich schäme, und als er, auf Erinnern den Miethzins nicht bezahlen können, sogleich seine Effekten zusammen gepackt und sich

5) *zu dem Zeitungsträger Haase* begeben, wo er von Johannis bis einige Wochen vor Michaelis 1820 in einer Dachkammer am Tage bei einer Lampe gearbeitet und des Nachts geschlafen, sich mit Papparbeiten beschäftigt und nebenbei den Hrn. Lang und Herrn M. Gebhard zu bedienen gehabt hat ⟨...⟩. In dieser Kammer, behauptet er, bei Tage und in der Nacht, vielfältig gestört worden zu seyn. Er habe es hören sprechen, obgleich niemand in der Nähe geschlafen. ⟨...⟩ An einem der oben gedachten Abende hat er, nach der Haasin Aussage, mit stieren Augen vor sich hingesehen, aber keine besondere Gemüthsunruhe verrathen. Ein andermal aber hat sie ihn des Abends um 11 Uhr die Treppe sehen herunter kommen und wieder hinaufsteigen und dieses mehrmals wiederholen, wobei er das erstemal: Da kommt's, da kommt's! gerufen haben und noch einige Stunden auf dem Gange herumgelaufen seyn soll. Uebrigens stimmen beide Eheleute darin überein, daß Woyzeck gesagt habe, es bedeute seinen Tod ⟨...⟩.

⟨...⟩. Als Ursache seines Wegziehens gibt Woyzeck selbst nicht die Spuckgeschichte an, sondern daß er in seiner Kammer am Tage bei einer Lampe gearbeitet, und der Wirth dieses nicht gelitten habe, dieser aber, daß seine Frau ängstlich geworden sey, und daß er ihn nicht länger habe leiden wollen, weil die Woostin so oft zu ihm gekommen. Nach seinem Wegziehen von Haasen ist er, seiner eigenen Aussage nach, vierzehn Tage herbergslos gewesen und hat nachher

6) bei dem Buchbinder *Wehner* in Volkmarsdorf vor der Michaelismesse 1820 drei bis vier Wochen, und späterhin noch zu zwei verschiedenen Malen, in der Neujahr- und Ostermesse 1821, jedesmal ungefähr eben so lange gearbeitet, auch mit Wehnern und den Seinigen im Ganzen ohngefähr vier Wochen in einer Stube geschlafen. Auch hier hat es ihm, wie er behauptet, keine Ruhe gelassen ⟨...⟩ Uebrigens will Wehner nichts Auffallendes an ihm bemerkt haben, sondern gibt ihm das Zeugniß, daß er fleißig und gelassen, und sein Schlaf gut gewesen sey, daß er sich Mühe gegeben, etwas zu lernen, aber zuweilen (wie schon oben sub 2 bemerkt worden) ein Glas Schnaps zu viel getrunken und dann weniger gearbeitet habe. Sein Ganzes sey gewesen, daß er sich nicht habe in ein ordentliches Brod finden können.

Aus Mangel an hinreichender Beschäftigung scheint Woyzeck zu Anfang des Winters 1820 den Entschluß gefaßt zu haben, Stadtsoldat zu werden, daher ihn der Feldwebel von gedachter Garnison

7) bei dem Unterofficier *Pfeiffer* untergebracht hat, wo er bis Weihnachten dieses Jahres geblieben, aber, weil sein Abschied nicht richtig gewesen, bei der Garnison nicht angenommen worden ist. Hier hat er mit dem Tambour *Vitzthum* einige Wochen lang in einem Bette geschlafen und sich mit Illuminiren für Herrn Klein beschäftiget, aber auch Vitzthumen mehrere Kleinigkeiten, und darunter einen Degen mit Scheide, entwendet, solche aber, sobald sie dieser wieder verlangt, zurückerstattet. Beide versichern, daß sein Betragen gut und verständig und nicht zänkisch gewesen sey; auch hat sein Schlafgeselle Vitzthum nie eine Unruhe, oder sonst etwas Auffallendes an ihm wahrgenommen, obgleich Woyzeck behauptet, daß er auch hier Stimmen gehört, und sonderbare Träume gehabt habe, ohne sich etwas merken zu lassen.

Nachdem Woyzeck Vitzthumen obgedachte Sachen entwendet, ist er, seiner Angabe nach, abermals einige Nächte herberglos und einige Tage im Arrest gewesen, sodann aber

8) *Zu der Naumannin* gezogen, wo er in der Neujahrmesse 1821 drei Wochen lang gewohnt und vorgegeben hat, Friseur, Schneider, Papparbeiter und Illuminirer zu seyn, ohne Kamm,

Scheere, Fingerhut, Papier und Pinsel zu haben, auch zu Hause nichts gearbeitet, sich aber übrigens verständig betragen und alle Morgen aus einem, der Tochter der Naumannin gehörigen Buche gebetet hat. Er selbst sagt blos, daß es ihn auch hier verfolgt habe.

Um diese Zeit ist er auch noch in Warnekes Hause aus- und eingegangen, hat der dort wohnenden Woostin hinter der Thüre aufgelauert, und dabei öfters, meinend, es sey diese, eine andere Weibsperson, unter andern eines Abends die Frau des Lohnbedienten Marschall an der Hausthüre angehalten, als er aber seinen Irrthum bemerkt, gesagt: Ach verzeihen Sie, ich habe sie verkannt, und sie nachher ruhig gehen lassen. An demselben Abend hat er der Woostin auf der Treppe aufgelauert, und auf ihre Weigerung, mit ihm spazieren zu gehen, sie mit der Hand, in der er die Scherben eines zerbrochnen Topfes gehabt, blutrünstig geschlagen, ist aber deßhalb von den dazu gekommenen Personen festgenommen und hierauf mit 8 tägigem Arrest bestraft worden, bei welcher Gelegenheit an ihm keine Spur einer besondern Unruhe, Zerstreuung oder Gedankenlosigkeit wahrgenommen worden ist. Nach seiner Entlassung hat er sich bis vor Ostern 1821,

9) bei dem Bierschenken *Haase* aufgehalten. *Woyzeck* sagt, sein Zustand habe hier fortgedauert, die Haasin aber: sein Betragen sey durchaus untadelhaft und still vor sich hin gewesen, er habe mit den übrigen Bettburschen in Frieden gelebt, und sogar einstmals, ob er gleich nur 16 Pf. gehabt, dennoch einen Armen wollen zu essen geben lassen. ⟨...⟩

Endlich hat er bis ungefähr zum 20. Mai 1821

10) bei der um diese Zeit verstorbenen *Wittigin* im schwarzen Brete eine Bettstelle gehabt. Er selbst versichert, daß er auch hier Stimmen vernommen habe. Dahin gehört seine Erzählung, daß es ihm, als er einen zerbrochenen Degen gekauft, zugerufen habe:

Stich die Frau Woostin todt!

wobei er gedacht: das thust du nicht, die Stimme aber erwiedert habe:

Du thust es doch.

Um dieselbe Zeit hat er die Woostin in der Allee von Bosens

Garten, auf ihre Weigerung, mit ihm zu gehen, mit der Faust ins Gesicht geschlagen, wovon ihr dasselbe aufgeschwollen, und mit Blut unterlaufen ist, und kurz nachher, als er sie mit seinem Nebenbuhler auf dem Tanzboden getroffen, sie die Treppe hinunter geworfen, und auf der Straße einen Stein aufgehoben, um damit nach ihr zu werfen, diesen aber wieder fallen lassen. Die *Benadtin*, Enkelin der Wittigin, welche mit ihm zugleich bei der Wittigin gewohnt hat, bezeugt, er habe sich für einen dienstlosen Markthelfer ausgegeben, nur sehr wenig, und in der letzten Zeit, wo er tiefsinnig gewesen, gar nicht gesprochen, sey aber in seinem Betragen höflich, bescheiden und ganz verständig, auch nur ein einziges Mal betrunken gewesen, wo er sehr viel gesprochen und erzählt habe, er habe selbigen Tages seine Geliebte geprügelt.

Von derselben Zeit sagt *Warnecke*, daß er damals Meßfremde in seinem Hause bedient, sich ganz still und vernünftig betragen, auch ihm und andern keine Vermuthung, daß er geisteskrank sey, gegeben habe, ausserdem aber gutes Muthes gewesen sey.

Von dem Tode der Wittigin an, hat er sich bis zur Ausführung seiner That, acht bis vierzehn Tage lang im Freien herumgetrieben und von Unterstützungen guter Menschen gelebt, die er aber schriftlich gebeten zu haben vorgiebt, weil er seine Bitten mündlich vorzutragen unvermögend gewesen und dabei zuweilen in Verlegenheit gekommen sey. Uebrigens erhellet aus den Akten, daß die Woostin, ungeachtet ihres offnen Umgangs mit einem Andern, dennoch auch den Umgang mit Woyzeck keineswegs gänzlich abgebrochen, ihm sogar noch in der Ostermesse d. J. den vertrautesten Umgang gestattet; ein andermal, als er ihr in Begleitung der Böttnerin begegnet, ihn etwas zurückweisend behandelt, dennoch ihm auf den Tag, wo die Mordthat vorgefallen, auf der Funkenburg eine Zusammenkunft versprochen, ihm aber nicht Wort gehalten, sondern mit dem Soldaten Böttcher einen Spaziergang gemacht hat: daß Woyzecks Gedanken indessen immer mit der Woostin und ihrer Untreue beschäftigt gewesen, daß er, nachdem er sie am Morgen desselben Tags unter einem erdichteten Vorwande zu sprechen gesucht, den übrigen Theil des Tages unbeschäftigt herumgelaufen, auch auf der Funkenburg gewesen, aber, weil er geglaubt, sie komme doch nicht, nur ein paarmal hin und her gegangen ⟨...⟩ daß er ferner gegen Abend, *in der Absicht, die Woostin damit zu erstechen*, die Degenklinge in ein Heft stoßen lassen, und als er hierauf der Woostin zufällig begegnet und von ihr erfahren, daß sie nicht auf der Funkenburg gewesen, sie nach Hause begleitet, auf diesem Wege an seinen Vorsatz nicht wieder gedacht, in der Hausflur des Hauses aber, wo die Woostin gewohnt, und als ihm diese etwas gesagt, wodurch er in Zorn gerathen, die That vollzogen, nach vollbrachter That sich im Geschwindschritt entfernt, bei seiner Verhaftung den Dolch wegzuwerfen gesucht, und gleich nachher, als ihm auf seine Frage, ob die Woostin todt sey, niemand geantwortet, gesagt hat: Gott gebe nur, daß sie todt ist, sie hat es um mich verdient!

Bei der Untersuchung des Inquisiten.

⟨...⟩
Was sein Aeußeres und seine körperliche Gesundheit betrifft ⟨fand ich⟩:
Blick, Miene, Haltung, Gang und Sprache völlig unverändert, die Gesichtsfarbe, wegen Entbehrung der freien Luft und Bewegung, etwas blässer, Athemholen, Hautwärme und Zunge völlig natürlich. ⟨...⟩
Dagegen bemerkte ich, daß das schon früher während der ersten Minuten der Unterredung an ihm wahrgenommene Zittern des ganzen Körpers, besonders wenn mein Besuch ihm sehr unerwartet kam, etwas länger anhielt, und daß der Puls- und Herzschlag zwar regelmäßig und gleichförmig, aber nicht nur voller und beschleunigter war, sondern daß auch der Puls, so oft ich ihn im Laufe der Unterredung untersuchte, immer etwas unruhig, der Herzschlag aber stärker und fühlbarer blieb und einen größern Umfang einnahm, als im natürlichen Zustande. ⟨...⟩
In Rücksicht auf das *Gemüth* des Inquisiten fand ich ⟨...⟩ keine Spur einer ungestümen Aufregung, Reizbarkeit, Spannung, Unruhe und Leidenschaftlichkeit, oder von Abstumpfung, Erstarrung, Vertiefung und Niedergeschlagenheit, und mithin nichts, was auf die Gegenwart irgend eines krankhaften Zustandes des

Gemüths, auf Wahnsinn, Tollheit oder Melancholie und deren verschiedene Formen, Grade und Complicationen zu schließen berechtigen könnte. ⟨...⟩

Da er nun immer mehr vexirt worden sey, da er auch von den Officiers mancherlei unverdiente Kränkungen habe erfahren müssen, und sich zugleich seiner beabsichtigten Heirath immer mehr Schwierigkeiten in den Weg gestellt hätten; so habe sich Groll, Bitterkeit und Mißtrauen gegen die Menschen überhaupt eingefunden. Er habe sich immer zwingen müssen, freundlich gegen die Menschen zu seyn, und es sey ihm gewesen, als ob ihn alle für den Narren halten wollten. Daher sey er sehr empfindlich geworden, so daß ihn das Geringste habe aufbringen können. Bei geringeren Veranlaßungen zum Unwillen habe er am ganzen Körper gezittert, aber dabei noch immer an sich halten können; bei stärkern Anreizungen aber sey ihm der Zorn in den Kopf und vor die Stirne gefahren, und habe ihn dergestalt überwältigt, daß er seiner nicht mehr mächtig gewesen. Namentlich habe er diese Abstrafungen des Zornes bei seinen Zänkereien mit der Woostin wahrgenommen, und sich bei Verübung der Mordthat in einem solchen Zustande von Ueberwältigung befunden, daß er darauf losgestochen habe, ohne zu wissen, was er thue. – Zuweilen sey es ihm dabei gewesen, als ob er eine Force habe, um alles zerreißen zu können, und als ob er die Leute auf der Gasse mit dem Kopfe zusammenstoßen müsse, ob sie ihm gleich nichts zu Leide gethan. Uebrigens habe er einen Gedanken, den er einmal gefaßt habe, nicht leicht wieder los werden können, besonders unangenehme Vorstellungen, und dabei öfters lange hinter einander immer auf einen einzigen Gegenstand hingedacht, bis ihm zuletzt ganz die Gedanken vergangen seyen und er gar nicht mehr habe denken können. ⟨...⟩ Sein ganzes Unglück aber sey eigentlich gewesen, daß er die *Wienbergin* habe sitzen lassen, da ihm doch seine Officiers späterhin zu dem Trauschein hätten behülflich seyn wollen. Blos dadurch, daß er hierzu keine Anstalten gemacht, sey sein vorher guter Charakter verbittert worden, weil es nun einmal vorbei gewesen sey, und er es nicht wieder habe gut machen können. Der Gedanke an sein Kind und an diese von ihm verlassene Person sey ganz allein die Ursache seiner beständigen Unruhe geworden, und daß er nie habe einig mit sich selbst werden können. Späterhin habe er sich auch Vorwürfe wegen seines Umgangs mit der Woostin gemacht, da er doch eigentlich die Wienbergin habe heirathen sollen. Er habe sich daher auch geärgert, wenn die Leute von ihm gesagt hätten, daß er ein guter Mensch sey, weil er gefühlt habe, daß er es nicht sey. –

Ueber seine Erscheinungen und die übrigen dahin einschlagenden Begebenheiten eröffnete er mir Folgendes:

Im Allgemeinen:

Er habe von jeher an die Bedeutung der Träume geglaubt und sie nach seiner Art auszulegen gesucht, wobei vieles zugetroffen habe. Vor Gespenstern habe er sich zwar eigentlich nie gefürchtet; allein da es doch Geister gäbe, so glaube er, daß diese durch Gottes Schickung auf den Menschen wirken und in ihnen allerhand Veränderungen hervor bringen könnten. Da ihm nun verschiedene Male in seinem Leben Dinge begegnet seyen, die er sich aus dem gewöhnlichen Laufe der Natur nicht habe erklären können; so sey er auf den Gedanken gekommen, daß Gott sich auch ihm auf diese Weise habe offenbaren wollen, und sollte dieß auch nicht der Fall gewesen seyn, so könne er sich doch nicht überzeugen, daß diese Dinge blos in seiner Einbildung beruht haben sollten. – Zugleich gestand er auf Befragen, er habe die Gewohnheit gehabt, bald *heimlich*, bald, wenn er allein gewesen, *laut* mit sich selbst zu sprechen und dazu Gesticulationen zu machen, oder wie er sich ausdrückte, allerhand bei sich *auszufechten*.

Im Besonderen:

Schon auf seinen Wanderungen habe er von reisenden Handwerksburschen allerhand nachtheilige Gerüchte über die *Freimaurer* gehört, unter anderm, daß sie durch heimliche Künste, zu denen sie nichts als eine Nadel brauchten, einen Menschen ums Leben bringen könnten. Er habe dieses damals nicht geglaubt, glaube es auch jetzt nicht mehr, allein er habe sich doch immer mit diesem Gedanken beschäftigt und sich allerhand Vorstellungen gemacht, woran sich wohl die Freimaurer unter einander erkennen möchten. Da habe ihm einmal geträumt: er sehe drei feurige Gesichter am Himmel, von denen das mittlere das größte gewesen. Er habe diese drei Gesichter auf die Dreieinigkeit bezogen und das mittlere auf Christus, weil diese die größte Person in der Gottheit sey. Zugleich habe er gedacht, daß in dieser Zahl auch das Geheimniß der Freimaurer liegen könnt, das ihm auf diese Art offenbart werden solle ⟨...⟩.

Ueber den Vorfall am Schloßberge in Graudenz.

Er sey einst im October Abends, ungefähr um sieben Uhr, aus der Festung Graudenz nach der eine halbe Stunde davon entlegenen Stadt gegangen, und habe da am Himmel drei feurige Streifen gesehen, die nachher wieder verschwunden seyen. Als er sich umgesehen, habe er an der entgegengesetzten Seite des Himmels einen einzelnen ähnlichen Streifen gesehen, und dabei Glockengeläute gehört, was ihm unterirdisch geschienen hätte. Weil er sich nun damals immer noch mit dem Gedanken an die Freimaurer beschäftigt und geglaubt habe, daß ihm schon einmal durch die drei feurigen Gesichter hierüber eine Offenbarung zu Theil geworden sey, so habe er sich eingebildet, daß dieses wohl ähnliche Beziehung haben könne ⟨...⟩.

Zu Erläuterung des Auftritts mit Warnecke.

Er sey grob gegen Warnecke gewesen, weil er geglaubt habe, daß ihn dieser für den Narren haben wolle. – Der Ausdruck: *der Kerl pfeift dunkelblau**, habe er mehrmals gehört, könne aber nicht mehr sagen, was er damals eigentlich damit gemeint habe.

---

* Hierbei ist zu bemerken, daß der Ausdruck: *der Kerl pfeift dunkelblau*, unter dem niedrigen Pöbel in hiesiger Stadt ein sehr gewöhnlicher Provinzialismus ist, und ungefähr soviel bedeutet, als: *er macht sich gewaltig breit.*

Ueber die Vorfälle beim Zeitungsträger Haase.

In der von ihm bewohnten Kammer sey ungefähr in der Mitte ihrer Höhe eine Art von Verschlag oder Bucht gewesen, in der während der Messe jemand geschlafen, damals aber Stroh gelegen habe. Von Mäusen und Ratten habe er gerade nichts bemerkt, denn es habe manchmal Fleisch oder Brod an der Erde gestanden, welches von ihnen nicht berührt worden sey. Allein in der Thür sey eine Oeffnung gewesen, durch die eine Katze habe hineinkriechen können, auch habe er manchmal des Nachts eine darinnen bemerkt. Zu dieser Zeit sey das Brausen in seinen Ohren sehr heftig gewesen, es habe ihm gedäucht, als ob ihm von oben her Hitze auf den Kopf ginge, und als ob ihm der Kopf zerspringen solle. Dabei habe er Schmerz in den Schläfen, Herzklopfen, allgemeine Hitze im ganzen Körper, und Schweiß vor der Stirne gehabt. Auf dem gedachten Verschlage habe er es in der Nacht, und nachher auch bei Tage, öfters knistern und rumoren hören, und sich dabei des Gedankens nicht erwehren können, daß es Geister wären. Um diese Zeit habe ihm einmal von einem Geiste geträumt, der zu ihm gesagt hätte: *ich werde dir einen andern schicken!* worauf er selbst im Traume geantwortet habe: *ich fürchte mich nicht!* –

Sechs Tage nachher, also gerade so lange, als nach einem ähnlichen Traume in Stettin, sey er Abends nach zehn Uhr in seine Kammer gekommen, und habe die Thüre schon zugemacht gehabt. Da habe auf dem Verschlage eine ganz feine Stimme, wie die eines jungen Frauenzimmers, die Worte gesagt: *o komm doch!* Es hätten sich ihm die Haare in die Höhe gesträubt, und er sey sogleich herunter zu Haasens gelaufen, wo er drei Nächte zugebracht habe. – ⟨...⟩

Mehrmals bediente er sich bei diesen Erzählungen des Ausdrucks: *Es habe um ihn geschrieen.* Als ich ihn aber deßhalb genauer befragte, nahm er diesen Ausdruck zurück und sagte: er habe diese Stimme immer nur *leise* vernommen, aber doch so, daß er sie wirklich habe hören können. ⟨...⟩

Seine Eifersucht gegen die Woostin schreibe sich von der Zeit her, wo er bei dem Stadtsoldaten *Pfeiffer* gewohnt habe. Als in Gohlis die Kirmse gewesen, habe er Abends im Bette gelegen, und an die Woostin gedacht, daß diese wohl dort mit einem anderen zu Tanze seyn könne. Da sey es ihm ganz eigen gewesen, als ob er die Tanzmusik, Violinen und Bässe, durcheinander, höre, und dazu im Takte die Worte: *Immer drauf, immer drauf!* Kurz vorher habe ihm von Musikanten geträumt, und das habe ihm immer was übles bedeutet. Am andern Tage habe er gehört, daß die Woostin wirklich mit einem andern in Gohlis gewesen sey, und sich lustig gemacht habe!

⟨...⟩ Ueberhaupt habe sie ihn schon lange vorher, für den Narren gehabt, ihm manchmal schnöde begegnet, ihm einmal, als er beleidigt von ihr gegangen, zum Fenster heraus nachgerufen: *Du kannst abkommen*, und ihn überhaupt wegen seiner Armuth verachtet, dennoch aber sich manchmal wieder mit ihm abgegeben. Während er bei der Wittigin gewohnt habe, sey es ihm einmal, als die Woostin vor dem grimmaischen Thore von ihm Abschied genommen, und ihm noch aus der Entfernung dreimal: *Leb' wohl!* zugerufen habe, gewesen, als ob eine Stimme zu ihm sage: *Sie will nichts von dir wissen.* – Die Stimme: *Stich die Frau Woostin todt!* habe er auf der Treppe nach seinem Logis gehört, als er eben die Degenklinge gekauft gehabt, und sie mit dem Gedanken besehen habe, daß sich daraus müßten hübsche Messer machen lassen. Uebrigens habe er, wie er *wiederholt*, und in *mehreren Unterredungen* versicherte, diese Stimme nur dieses einzige Mal, und nachher *nie* wieder gehört, auch seyen in den acht Tagen vor der Mordthat, wo er herberglos herumgelaufen, und weil er kein Geld gehabt, weniger Schnaps getrunken habe, die Beängstigungen geringer, und die Stimmen seltner gewesen. Am Tage der Mordthat selbst aber habe er *gar keine* Beängstigungen gehabt, und *gar keine* Stimmen gehört, auch an die Stimme die ihn aufgefordert, die Woostin zu erstechen, gar nicht gedacht, wohl aber habe der Gedanke, die Woostin zu erstechen, ihn von jenem Augenblick an unablässig verfolgt, sey jedoch immer nur ein Uebergang und gleich wieder vorbei gewesen, auch habe er, um ihn los zu werden, den Degen in den Teich vor dem grimmaischen Thore werfen wollen. Was die Ereignisse des Tages betrifft, an dem die Mordthat geschehen ist, so versichert er zwar fortwährend, daß ihm davon nur ein dunkles Andenken geblieben sey. Dennoch erinnerte er sich nicht nur vollkommen deutlich an die Hauptumstände: nämlich daß er schon am Morgen dieses Tages die Woostin unter einem falschen Vorwand aufgesucht, den ganzen Tag herumgelaufen, die Degenklinge, in der Absicht zu morden, abgeholt, und den Griff daran befestigt, die Woostin, der er vor dem Petersthore zufällig begegnet sey, nach Hause begleitet und ihr in der Hausflur mehrere Stiche beigebracht habe; sondern er fügte auch noch *ungefragt* mehrere, bei den Akten noch nicht erwähnte Umstände hinzu, nämlich daß er am Mittage dieses Tages bei Herrn *Lacarriere* gewesen sey, ihm das nachher gefundene Bittschreiben überreicht, von ihm acht Groschen Allmosen, unter Zurückgabe des Briefes erhalten, und dafür sich zu essen habe geben lassen; ferner, daß er, als ihm die Woostin begegnet, sich zwar anfänglich gefreut habe, daß aber diese Freude bald vorbei gewesen sey, als er gemerkt, daß sie seine Begleitung nicht gerne sehe, aus Furcht, sein Nebenbuhler möchte sie mit ihm gehen sehen, weßhalb er auch mehr ihr zum Tort noch mitgegangen sey; endlich daß ihm die Woostin, als sie miteinander ins Haus getreten, die Worte gesagt habe: *Ich weiß gar nicht, was du willst! so geh' doch nur nach Hause! Wenn nun mein Wirth raus kommt.* Diese Worte hätten ihn geärgert, und da habe ihn der Gedanke an das Messer und an seinen Vorsatz plötzlich wieder mit aller Macht ergriffen, und ihn mit einem Male dergestalt überwältigt, daß er darauf zugestoßen habe, ohne zu wissen, was er thue. Als er nach der That über den Roßplatz gegangen, sey ihm der Gedanke in den Kopf gekommen, sich zu erstechen, und er habe es blos deßhalb unterlassen, weil zu viel Leute dagewesen seyen, würde sich aber, wenn er nicht arretirt worden wäre, sicherlich noch in derselben Nacht und mit dem nämlichen Instrumente das Leben genommen haben. ⟨...⟩

Medicinisch, psychologische Entwickelung der theils aus den Akten geschöpften, theils selbst beobachteten Thatsachen.

Die an dem Inquisiten theils von mir beobachteten, theils von ihm selbst erzählten und wegen ihres natürlichen und erfahrungsmäßigen Zusammenhangs für völlig glaubwürdig zu achtenden körperlichen Zufälle ⟨...⟩ beweisen: daß derselbe sich in derjenigen *krankhaften Anlage* befinde, die man ehedem Vollblütigkeit und Neigung zu Wallungen und Congestionen des Blutes genannt, in neuern Zeiten aber durch die Ausdrücke: venöse Constitution, und erhöhten Venenturgor näher zu bezeichnen versucht hat, und die ihrem Wesen nach, in vermehrter Reizbarkeit und unregelmäßiger Thätigkeit des Gefäß- und besonders des Venensystems gegründet ist, periodisch ab- und zunimmt, durch unordentliche Lebensweise, und besonders durch den Mißbrauch starker Getränke vermehrt ⟨...⟩.

So wie übrigens die tägliche Erfahrung lehrt, daß Personen, welche sich in dieser Anlage befinden, im Stande sind, allen ihren bürgerlichen und moralischen Pflichten zu genügen, so sagt auch *Woyzeck*, daß ihn alles dieses nicht gehindert habe, seine Geschäfte ordentlich zu besorgen, und mehrere Aeußerungen von ihm, z. B. daß er *absichtlich* wenig gesprochen habe, um seinen Zustand nicht merken zu lassen, und daß durch Richtung der Gedanken auf einen andern Gegenstand, die Benommenheit des Kopfes sich verliere, geben zu erkennen, daß bei ihm die Freiheit des Willens in diesem Zustande keineswegs aufgehoben gewesen sey.

Der Inquisit hegt allerhand irrige, phantastische und abergläubische Einbildungen von verborgenen und übersinnlichen Dingen, denen bei ihm theils Mangel an Kenntniß und Erziehung, theils Leichtgläubigkeit zum Grunde liegt, und die durch Neugier, durch einen natürlichen Hang, über dergleichen Dinge nachzugrübeln, und durch die, in seiner hypochondrischen Stimmung begründete Scheu, sich mitzutheilen, genährt und unterhalten worden ist. Dahin gehört zuerst die ihm aufgeheftete Lüge von den geheimen Künsten der Freimaurer, die ihn sehr angelegentlich beschäftigt und zu allerhand phantastischen Combinationen und Versuchen verleitet hat. ⟨...⟩ – – Eben dahin gehört ferner seine Vorstellung von der Wichtigkeit der *Träume*, von denen er glaubt, daß sie theils buchstäblich in Erfüllung gehen, theils eine allegorische Bedeutung haben, vermöge deren durch sie bald verborgene Dinge, z. B. die von ihm als sehr wichtig betrachteten Zeichen der Freimaurer, angezeigt, bald die Zukunft enthüllt werde. – – Aus derselben Quelle entspringt endlich auch sein Glaube an die Möglichkeit materieller Wirkungen der Geisterwelt und selbst an Verkörperung der Geister oder Geistererscheinungen. Die von ihm dafür gehaltenen Ereignisse, sind offenbar von doppelter Art, nämlich theils solche, wo er aus Furcht und phantastischer Einbildung irgend eine äußere, natürliche Erscheinung, ohne sie näher zu untersuchen, für eine Wirkung übersinnlicher Wesen gehalten hat, theils solche, bei denen durch seinen unruhigen Blutumlauf eine Sinnestäuschung veranlaßt, diese aber durch die bei ihm vorwaltenden abergläubischen Vorstellungen zu einer übernatürlichen Erscheinung gestempelt worden ist.

Zu der ersten Art gehören die Fußtritte, die er selbst und sein Kamerad in einem verschlossenen Hause, in welchem er sich mit diesem allein zu befinden glaubte, gehört zu haben vorgiebt, und die er, ohne die Veranlassung des Geräusches zu untersuchen, bloß aus dem Grunde einem umgehenden Geiste zuschrieb, weil ihm sechs Tage vorher von dergleichen geträumet hatte! – ⟨...⟩

Zu der zweiten Art gehören die von dem Inquisiten angeblich öfters gehörten Töne und articulirten Stimmen, und es kommt bei Beurtheilung derselben vor allen Dingen der Umstand in Betrachtung, daß derselbe schon früher zu verschiedenen Malen, bei seinen Anfällen von Beängstigungen und Herzklopfen, ein Schlagen der Adern und Hitze im Kopfe, eine Empfindung, als ob es ihm aus dem Herzen in den Kopf fahre, und *zu gleicher Zeit* ein Zischen, Prasseln, Schnurren und Brummen im Genikke, oder vor den Ohren bemerkt hat.

Daß diese und ähnliche Täuschungen des Gehörsinnes als Folgen von Congestionen des Blutes nach dem Kopfe häufig vorkommen, lehrt die tägliche Erfahrung, und daß sie auch bei Woyzeck diese Ursachen gehabt haben, läßt sich bei seiner Anlage und unter den vorhergehenden und gleichzeitigen Umständen nicht bezweifeln. Wie sehr bei dergleichen Zufällen zugleich seine Einbildungskraft beschäftigt, und wie sehr er geneigt gewesen ist, die natürlichen Veranlassungen zu übersehen, und sich irgend etwas Ungewöhnliches und Uebernatürliches dabei zu denken, beweist der bereits weiter oben erwähnte Vorfall, wo er das nach dem Exerciren und Laufen bei starker Hitze entstandene Herzklopfen vor den Ohren für Wirkung geheimer Künste hielt. – Ein höherer Grad dieser Täuschungen des Gehörsinnes besteht darin, daß die mit dergleichen Zufällen behafteten Personen die Ursache des im Ohre vernommenen Geräusches für eine *äußere* halten, und dabei bald nähere, bald entferntere Töne z. B. Pochen, Glockengeläute, Musik etc. zu hören glauben. ⟨...⟩ – Allein auch hiebei ist er nicht stehen geblieben, sondern es hat diese Sinnentäuschung bei ihm einen noch höhern Grad erreicht, indem er nicht blos Lärm und Getöse, sondern sogar artikulirte Worte und Wortverbindungen zu hören geglaubt hat. Bei Erklärung dieser Erscheinung muß der Umstand in Erwägung gezogen werden, daß Woyzeck gewohnt gewesen ist, *mit sich selbst zu sprechen,* der es sehr denkbar macht, wie er, bei dem erhitzten Zustande seines Blutes und seiner Einbildungskraft, seine ebengedachten, oder laut ausgesprochenen Worte mit dem Lärm in seinem Kopfe verwechseln und selbigen bei seinem immer lebendigen Glauben an übernatürliche Einwirkungen, für eine an ihn gerichtete fremde Stimme halten konnte. ⟨...⟩ – Von gleicher Beschaffenheit ist der Vorfall, wo er, als er im Bette an der Kirmse und an seine dort anwesende Geliebte voller Eifersucht dachte, Violinen und Bässe durcheinander zu hören glaubte, und, nach dem Rhythmus der gewöhnlichen Tanzmusik, ihr die Worte unterlegte: *immer drauf, immer drauf.* Am deutlichsten erscheint diese Verwechslung des Objectiven mit dem Subjectiven in den, bei Untersuchung des Degens, der nachher zum Mordinstrumente gedient hat, angeblich gehörten Worten: *Stich die Frau Woostin todt,* die nach allem vorhergegangenen nichts anderes gewesen seyn können, als der lebhaft erwachende Vorsatz zu der nachher vollführten That, dem er, bei seiner Gewohnheit, mit sich selbst zu sprechen, Worte gegeben, und den die Stimme des Gewissens mit den Worten: *du thust es nicht,* beantwortet, der damit kämpfende Vorsatz aber mit den Worten: *du thust es doch,* bestätiget hat. ⟨...⟩

Folgerungen, die aus vorstehenden Thatsachen für die Zurechnungsfähigkeit des Inquisiten gezogen werden können.

Wenn die Frage entsteht: ob der von dem Inquisiten angegebene Zustand von Angst, Unruhe und Benommenheit des Kopfes und seine damit als nächste Wirkungen in Verbindung stehenden Vorstellungen von Geisterlärm und Zuruf von fremden Stimmen die Zurechnungsfähigkeit desselben in so fern zu vermindern, oder aufzuheben vermögen, als sie bei ihm entweder überhaupt ein Hinderniß für den freien Gebrauch des Verstandes gewesen sind, oder als ein direkter Antrieb zu der That selbst betrachtet werden können. ⟨... – ...⟩ so müßte ich allerdings es *richterlichem* Ermessen anheimstellen, zu entschieden, ob *Temperamentsfehler*, wie dieser, nicht blos die *moralische*, sondern die *legale* Schuld eines Vergehens vermindern, weil über die Schuld überhaupt, so wie über das *Mehr* oder *Weniger* derselben, und insbesondere der moralischen, dem gerichtlichen Arzt kein Unheil zustehet, am wenigsten, wenn er nicht ausdrücklich darum gefragt wird, zugleich aber vom gerichtlich-medizinischen Standpunkt aus erinnern, daß hier nicht von der *Leichtigkeit* oder *Schwierigkeit*, sondern von der *Möglichkeit* oder *Unmöglichkeit* leidenschaftlichen Antrieben zu widerstehen, die Rede sey. Erst da, wo diese Möglichkeit *aufhört*, ist die Grenze der Zurechnungsfähigkeit, welche die gerichtliche Medicin festhalten muß, wenn sie sich nicht in endlose Verwirrungen verlieren und zum Deckmantel aller und jeder Verbrechen herabgewürdigt werden soll. ⟨...⟩

Ehe ich auf Beantwortung dieser Gründe eingehe, fühle ich mich gedrungen im Allgemeinen zu bemerken, daß die ganze Lehre von *amentia occulta (E. Platner Quaestion. medic. forens. I. II. Lips.* 1797) von ausserordentlichem Antriebe zu einer Handlung oder durch gebundenen Vorsatz (Hofbauers psycholog. Rechtspflege S. 315 und 327) von Hemmung der moralischen, freien Kraft durch Ausartung thierischer Triebe (Grohmann in Nasses Zeitschrift für psychische Aerzte I. 501), trotz aller neuern Verhandlungen über diesen Gegenstand, noch keineswegs im Reinen ist, sondern im hohen Grade einer strengen Revision

bedarf, und daß, wenn auf der einen Seite der Eifer einzelner Schriftsteller und medicinischer Collegien Entschuldigungsgründe für Handlungen aufzufinden, die im Sturme eines von ungewöhnlichen Veranlassungen bewegten Gemüths, oder im
5 Drange eines instinktartigen, von den Banden der Natur umstrickten Willens begangen worden, höchst achtungswerth ist, dennoch auf der andern Seite auch die Verwirrung und der Nachtheil berücksichtiget werden muß, der aus der unvorsichtigen Anwendung dieser Lehre entstehen würde, wenn man fort-
10 fahren sollte, wie man bereits angefangen hat, einen Mordtrieb, eine Feuerlust, eine Rauflust, einen Stehltrieb und am Ende für jedes Verbrechen einen besondern Trieb oder einen instinktartigen Zwang, eine *Nothwendigkeit* des Handelns, anzunehmen, hierdurch aber die Wirkung der Gesetze zu lähmen und die ge-
15 richtliche Medicin um ihr wohlverdientes Ansehen zu bringen. ⟨...⟩

Aus den im Vorhergehenden dargestellten Thatsachen und erörterten Gründen schließe ich: daß *Woyzecks* angebliche Erscheinungen und übrigen ungewöhnlichen Begegnisse als *Sinnestäu-*
20 *schungen*, welche durch Unordnungen des Blutumlaufes erregt, und durch seinen Aberglauben und Vorurtheile zu Vorstellungen von einer objektiven und übersinnlichen Veranlassung gesteigert worden sind, betrachtet werden müssen, und daß ein Grund, um anzunehmen, daß derselbe zu irgend einer Zeit in
25 seinem Leben, und namentlich unmittelbar *vor, bei* und *nach* der von ihm verübten Mordthat sich im Zustande einer Seelenstörung befunden, oder dabei nach einem nothwendigen, blinden und instinktartigen Antriebe, und überhaupt anders, als nach gewöhnlichen leidenschaftlichen Anreizungen gehandelt habe,
30 *nicht* vorhanden sey.
⟨...⟩
Leipzig, den 28. Februar 1823.

Kommentar

Georg Büchner 1813–1837

Der Mann war 23 Jahre und vier Monate alt, als er am 19. Februar 1837 starb. Verwickelt in Krieg mit der Obrigkeit und in vertracktes Liebesglück, hatte er seine medizinisch-naturwissenschaftliche Berufsausbildung dennoch pünktlich absolviert. Vergleichende anatomische Untersuchungen von ihm zum Nervensystem von Fischen haben mit präzisen Befunden zum Grundlagenwissen der Neurobiologie beigetragen. Seine von einer Akademie in Frankreich gedruckte Abhandlung darüber hatte ihm den Zugang zu einer aussichtsreichen Universitätslaufbahn verschafft. Mit dem Privatdozenten für vergleichende zoologische Anatomie Dr. Georg Büchner begrub man in Zürich unter großer öffentlicher Anteilnahme eine Hoffnung der Wissenschaft.

Wissen-schaftler

Eine andere Identität wiesen die Akten der Ermittlungen wegen »revolutionärer Umtriebe« im Großherzogtum Hessen-Darmstadt aus. Sie überführen den landesflüchtigen Sohn eines Arztes im großherzoglichen Staatsdienst als den gesuchten Verfasser des *Hessischen Landboten*, der als im höchsten Grade revolutionär eingestuften Flugschrift. An der unterdrückten Demokratiebewegung in den restaurativen europäischen Feudalstaaten, die 1830 von der Pariser Julirevolution ausging, war er initiativ beteiligt. Er hatte in Gießen und Darmstadt eine geheime »Gesellschaft der Menschenrechte« gegründet, die brandneue frühkommunistische Ideen aus Frankreich aufnahm. Sie entwickelten sich dort in der Arbeiterbewegung als Reaktion auf die verheerenden sozialen Folgen der Geldherrschaft, die das so genannte Bürgerkönigtum etablierte.

Revolutionär

Die Arbeiten des Dichters sind erst in den letzten zwei arbeitsreichen Lebensjahren hinzugekommen, als der 21-jährige Student der Medizin schon auf dem Sprung zur Flucht war und im Exil. Seine drei Dramen und eine Erzählung, vielleicht noch ein viertes, verschollenes Stück, konzipieren Literatur neu als Medium komplexerer, schärferer und gewissenhafterer Wahrnehmung. Das vergleichsweise schmale nachgelassene Werk enthielt das Potential zu einer Erfolgsgeschichte ohnegleichen. Wäre Goethe (1749–1832) so jung gestorben, wüßte man nichts

Dichter

von ihm. In dem Alter, als er seine *Leiden des jungen Werthers* (1774) noch nicht zu Papier gebracht hatte, war Büchner im zweiten Nebenberuf bereits fertig mit *Danton's Tod* (1835), dem paradigmatischen Gegenentwurf zur idealistischen Geschichtsdramatik, hatte mit *Lenz* (1835; erschienen 1839) späteren Autoren modernes Erzählen vorgemacht, mit *Leonce und Lena* (1836) die heute meistgespielte deutsche Komödie geschrieben und mit *Woyzeck* den Initialtext eines Welttheaters weit in der Zukunft.

Eine Typhusepidemie beendete seinen raschen Lebenslauf. Was für ein Mensch das war, hat ein Freund, Alexis Muston (1810–1888), der ihn gut kannte, so beschrieben: »Ein Herz aus Gold durch und durch, sehr gebildet; ziemlich ausgelassen, dabei liebenswürdig, man konnte sich mit ihm nicht langweilen.«

Eine Revolution des Theaters ohne Theater

Die Eignung von Bühnengestalten, exemplarisch darzustellen, was Menschen zu tun, zu empfinden, zu erleiden vermögen, war von jeher an die Zugehörigkeit zu den oberen, kulturell maßgebenden Schichten gebunden. In der antiken Tragödie, der Kunstform mit dem höchsten Repräsentationsanspruch, waren Könige und ihre Verwandten die Helden. Das von Aristoteles (384–322 v.Chr.) aufgestellte Regelwerk des Theaters der Antike war, mit verschiedenen Abstrichen, auch für Dramatiker der Neuzeit noch maßgebend. Populäre Befreiungen von den strengen Formvorschriften, die das Theater der Shakespeare-Zeit und die italienische Commedia dell'arte sich erlaubten, wollte die klassizistische Dramaturgie aus dem Geiste des Absolutismus nicht gelten lassen. Unter dem Einfluss der Aufklärung wurden die Hoftheater des 18. Jahrhunderts zu Übungsstätten des bürgerlichen Bildungstheaters, das sich in der Folgezeit in staatlichen und städtischen Häusern entwickelte. Auf die ästhetische Bekräftigung der sozialen Abgrenzung nach unten blieb auch das für den dritten Stand geöffnete Theater bedacht. Seine höfische Vorprägung konnte oder wollte es nicht verleugnen. Noch bis über das 19. Jahrhundert hinaus verordnete die Bühnensprache, oft in affektiert betonter Abgrenzung zur Alltagssprache, dem gebildeten Teil der Nation das Muster für die »reine Hochlautung«. Antike Tragödie Commedia dell'arte Bürgerliches Bildungstheater

Damit, dass William Shakespeare (1564–1616) seine Narren auch in Tragödien wenigstens in Nebenrollen mitspielen ließ, hatte sich das Trennungsgebot der alten Standesklausel nicht erledigt, nach der in der Tragödie nur hohe Standespersonen auftreten durften, Personen niederen Standes dagegen nur in Komödien. Vor der Reform des Theaters durch Denis Diderot (1713–1784) und Gotthold Ephraim Lessing (1729–1781) war es unmöglich, »Wesen auf der Bühne wichtig zu machen, die im gemeinen Leben für nichts geachtet werden« (Lessing, *Das Theater des Herrn Diderot*, 1760). Das reformierte Theater reklamierte dann zwar die Repräsentationsfähigkeit hoher Standespersonen im bürgerlichen Trauerspiel auch für Personen des dritten Standes. Aber Personen aus den minderbemittelten und W. Shakespeare G. E. Lessing

-gebildeten Schichten als Handlungsträger darzustellen blieb auch danach lediglich dem possenhaft komödiantischen Volkstheater freigestellt, das sich im 19. Jahrhundert als Theater zweiter Klasse etablierte.

Mit dem Auftritt des Bediensteten eines Grafen als Gegenspieler seines Herrn in Pierre-Augustin Caron de Beaumarchais' (1732–1799) Komödie *Der tolle Tag oder Die Hochzeit des Figaro* (1778; Uraufführung 1784) versetzte im Vorfeld der Französischen Revolution einmal eine ausnahmsweise ernst zu nehmende komische Figur der Unterschicht die ständische Personalordnung des repräsentativen Theaters in Aufruhr. Diesem einmaligen Erfolg eines Untergebenen, der sich Respekt verschaffte, hatte Carlo Goldoni (1707–1793) vorgearbeitet mit seiner Profilierung der Charaktermasken aus den Stegreifstücken der volkstümlichen Commedia dell'arte, namentlich mit *Der Diener zweier Herren* (uraufgeführt 1746). Derselben Schule komödiantischer Kunst, die Dienern und Mägden die Bühne freigab zum Intrigenspiel mit ihren Herrschaften, verdankte Büchner schon Anregungen zu seinem Lustspiel *Leonce und Lena*, und auch in *Woyzeck* hat dieser Einfluss seine Spuren hinterlassen neben dem von Shakespeare, dem vor allen bewunderten Vorbild. In dessen Tradition hatte sich in Deutschland schon früh eine vitale Unterströmung zur Dominanz der klassizistischen Dramaturgie entwickelt. Die von Shakespeare inspirierten deutschen Dramatiker, die in der von Büchner eingeschlagenen Richtung bereits die radikalsten Vorstöße unternommen hatten, waren Jakob Michael Reinhold Lenz (1751–1792), der Weggefährte des jungen Goethe in der literarischen Revolution des Sturm und Drang, und der Rebell gegen den Geist der Restauration und Zeitgenosse des frühen Vormärz Christian Dietrich Grabbe (1801–1836). An Neuerungen von beiden knüpfte Büchner an bei seiner Revolutionierung des Dramas, die mit *Danton's Tod* begann und mit *Woyzeck* endete. Er räumt damit den letzten Vorbehalt aus, bei dem der Demokratisierungsprozess, der sich im geschichtlichen Wandel der Sozialordnung im europäischen Dramenpersonal widerspiegelt, haltgemacht hatte.

Noch nie waren so gering geschätzten Menschen wie Woyzeck

und Marie erste Rollen in einem Schauspiel mit tragischem Inhalt zugeschrieben worden. Einer von den ewig Chancenlosen, den keine ausgewiesene Herkunft empfiehlt, ohne elementare Bildung und Besitz, ein Underdog mit einem osteuropäisch klingenden Namen, jemand, der sich abschindet für den armseligen Sold eines Stadtsoldaten und Nebenverdienste, die dennoch nicht ausreichen für ein dürftiges Dasein mit der Geliebten und ihrem gemeinsamen Kind – dem fehlte so gut wie alles, was das traditionelle Theater vom Protagonisten eines Dramas mit tragischem Inhalt verlangte.

Gelang es, so einen glaubhaft die Rolle eines Menschen ausfüllen zu lassen, in den sich jedermann ein Stück weit hineinversetzen konnte, dann lief das darauf hinaus, dass man seinesgleichen auch in der Wirklichkeit dieselbe Würde und dieselben Rechte zuerkennen musste, die man für sich selbst beansprucht. Es gelang, die späte Wirkungsgeschichte beweist es.

Shakespeare hat in Königen und Prinzen Menschen wie du und ich zum Vorschein gebracht. Büchner lässt in dem Mann und der Frau unterhalb bürgerlicher Achtbarkeit die jedem eigene Menschenwürde aufscheinen, dieselbe Verletzlichkeit, dieselbe Lust am Leben, dieselbe Traurigkeit und dieselbe Gefährdung, zum hirnwütigen Mörder zu werden. Nicht sie sind in *Woyzeck* die grotesk-lächerlichen, menschlich-kümmerlichen Figuren, sondern die über ihnen, von denen sie benutzt werden wie Vieh. Das bedeutet nichts weniger als eine kopernikanische Wende in der Geschichte des Dramas. Auf ein Theater, das dem gewachsen ist, muss dieses Stück allerdings lange warten.

Kopernikanische Wende in der Geschichte des Dramas

Historischer Hintergrund und Quellenbezüge

Der Fall
Woyzeck

Am 27. August 1824 wurde der arbeits- und obdachlose Friseur und Perückenmacher Johann Christian Woyzeck (*1780), der Mörder einer Frau aus Eifersucht, vor den Augen einer großen Menschenmenge auf dem Marktplatz in Leipzig enthauptet. Eine Druckschrift mit dem gerichtsmedizinischen Gutachten unterrichtete vorab über den Fall. Im Vorwort charakterisierte der Verfasser, Johann Christian August Clarus (1774–1854), die Biographie des Mörders Johann Christian Woyzeck als die eines Menschen, der »durch ein unstätes, wüstes, gedankenloses und unthätiges Leben von einer Stufe der moralischen Verwilderung zur andern herabgesunken, endlich im finstern Aufruhr roher Leidenschaften, ein Menschenleben zerstörte« (s. »Anhang«, S. 97; Büchner, Bd. 1, S. 939). Die Sonntagspredigt in der Leipziger Universitäts-Kirche brandmarkte den Hingerichteten als »seltenes Beispiel der menschlichen Verdorbenheit«.

J. Ch. Woyzeck, der längere Zeit als Soldat gedient und sich zuletzt erfolglos um eine schlecht bezahlte Stelle als Stadtsoldat beworben hatte, war bereits 1821 zum Tode verurteilt worden. Er hatte im Juni desselben Jahres die Witwe Johanna Christiane Woost wegen ihres Umgangs mit Soldaten, den sie seinetwegen nicht aufgab, erstochen. Weil Zweifel an der Zurechnungsfähigkeit des Täters vorgebracht wurden, ist das Urteil seinerzeit nicht vollstreckt worden. Den Ausschlag gab erst das Ergebnis der zweiten medizinischen Untersuchung durch Clarus. Der führte psychotische Ausnahmezustände, in die der Verurteilte wiederholt versetzt gewesen war, auf dessen ungesunden, weil unmoralischen Lebenswandel zurück und attestierte ihm, die Tat im vollen Besitz seines freien Willens ausgeführt zu haben.

Ermordung
der Witwe
Woost

Diese Einschätzung blieb auch nach dem Vollzug der Todesstrafe umstritten. Eine Reihe paralleler Fälle, von denen der des J. Ch. Woyzeck der am besten dokumentierte war, löste in der medizinischen und juristischen Fachliteratur eine ausgedehnte Debatte über Kriterien der Schuldzurechenbarkeit aus. Im Spannungsfeld zwischen ärztlicher und richterlicher Kompetenz trafen dabei Fragen der Moral, der Philosophie und Religion mit solchen der Medizin, speziell Psychiatrie, und der Gesellschaft

Parallele
Fälle

aufeinander. Der Streit der Fakultäten, zu dem die Fälle Woyzeck und Schmolling das grundlegende Material abgaben, ging in den 1830er Jahren noch heftig weiter. Mitte 1836 wurde der Fall Dieß mit dazu herangezogen.

Eine einschlägige Diskussion um Gewaltverbrechen von sonst unauffälligen Tätern vergleichbaren Typs erregte 1835–1836 in Frankreich, wo Büchner sich zu der Zeit aufhielt, über die Fachorgane der Strafjustiz und Psychiatrie hinaus die breite Öffentlichkeit. Man war tief beunruhigt über den moralischen Zustand der Gesellschaft, das Missverhältnis von Arbeit und Vermögen sowie von Recht und Gerechtigkeit. Die Auflösung der alten Ständeordnung durch anonyme, über das Geld vermittelte ökonomische Abhängigkeitsverhältnisse hatte in Frankreich schon zu Arbeiteraufständen geführt, die das Militär mit extremem Gewalteinsatz niederschlug. Beängstigend stieg die Zahl zerstörter bäuerlicher und bürgerlicher Existenzen und vergrößerte sich die Masse der neuen Armen (»Pauper« in der Sprache der Gebildeten), die ums physische Überleben kämpften. Die »soziale Frage« wurde zum Problem des Jahrhunderts.

Neben den Quellenbezügen zum Mordfall Woyzeck weist Büchners Drama einen ausgiebigen Gebrauch von den Akten zum Fall des Tabakspinnergesellen Daniel Schmolling aus. Der hatte im September 1817 auf der Hasenheide bei Berlin ein junges Mädchen, mit dem er seit einem halben Jahr zusammen war, erstochen. Er wurde 1818 vom Stadtgericht Berlin nach der Abweisung von Zweifeln an seiner Zurechnungsfähigkeit zum Tode durch das Rad verurteilt Der Richter, der das Urteil ausgefertigt hatte, war E. T. A. Hoffmann (1776–1822), der als Dichter bekannte Gespenster-Hoffmann (s. Büchner, Bd. 1, S. 716).

Der Fall Schmolling

Die Leiche eines anderen Mörders, dessen Fall ebenfalls Parallelen zu dem von Woyzeck aufweist, hatte Büchner möglicherweise auf den Seziertisch vor sich gehabt, als er 1834 während des Studiums in Gießen einen Anatomiekurs absolvierte. Der Leinenweber Johann Dieß hatte im August 1830 bei Darmstadt seine Geliebte erstochen. Der Fall wurde 1836 neu diskutiert. Zwischen den Fällen Woyzeck, Schmolling und Dieß bestehen auffällige Entsprechungen. Alle drei etwa gleichaltrigen Männer waren Angehörige der »ungebildeten und armen Klasse«,

Der Fall Dieß

Entsprechungen zwischen den drei Fällen

hatten handwerkliche Berufe erlernt, als Soldaten gedient, ein unstetes Leben unter menschenunwürdigen Bedingungen und am Rande des physischen Ruins geführt, waren trotz beglaubigter Arbeitsamkeit und Anstelligkeit ohne Aussicht auf eine halbwegs gesicherte und geachtete Existenz. Alle drei hatten ohne feste Unterkunft und gesichertes Einkommen keine Heiratserlaubnis und unterhielten gesetzlich als unzüchtig kriminalisierte Beziehungen zu Frauen. J. Dieß hatte wie J. Ch. Woyzeck ein Kind »ohne den Segen der Kirche« (vgl. S. 18,14), letzterer allerdings nicht mit der Ermordeten, sondern mit einer anderen Frau, die er verlassen hatte, weil er sie nicht heiraten durfte. Im Fall von D. Schmolling war die Frau schwanger. Alle drei erstachen vorsätzlich die Frauen, die sie liebten.

Künst-
lerisch-
literarische
Bezüge

Die künstlerisch-literarischen Bezüge (s. die Angaben zu den betreffenden Textstellen) halten sich in *Woyzeck* in relativ engen Grenzen. Es überwiegt den unteren Bevölkerungsschichten Vertrautes: Sprichwörter, Jahrmarktskultur, Bibelgeschichten und Kirchenlieder, vor allem aber Volkslieder und Märchen. Der Text enthält neben Märchenmotiven Verse aus mehr als 20 Volksliedern und Kinderreimen. Büchner hatte sie noch aus mündlicher Überlieferung von Hessen und dem Elsass her im Ohr. Die Elemente der Volkskultur kompensieren, zusammen mit verschiedenen nonverbal zeichenhaften Ausdrucksmitteln, die eingeschränkte Sprachkompetenz der Arme-Leute-Figuren.

Entstehungs- und Überlieferungsgeschichte

Das im Exil in Straßburg und Zürich entstandene, ohne abschließende Reinschrift und Titel nachgelassene Drama ist das letzte Werk des Dichters. Wann Büchner die Idee dazu kam, ist nicht feststellbar. Die Einbeziehung des Falles Dieß in den Diskussionszusammenhang Mitte 1836 könnte den Anstoß zur Beschäftigung mit dem Stoffkomplex gegeben haben, zu dem er früher schon in der Bibliothek des Vaters Zugang hatte.

Ein programmatischer Grundgedanke, von dem das Projekt ausgeht, ist schon in dem Gespräch über Kunst in der Erzählung *Lenz* enthalten. Der enttäuschte Dichter des Sturm und Drang Lenz begehrt nach dem Zerbrechen der Freundschaft mit Goethe auf gegen den ästhetischen Idealismus, in den der revolutionäre Aufbruch der deutschen Literatur mündete. Er verlangt »in allem Geschaffenen Leben, Möglichkeit des Daseins«. Nicht, ob es »schön« oder »häßlich« ist, sondern, ob man fühle, dass es Leben habe, sollte »das einzige Kriterium in Kunstsachen« sein. Und weiter lässt Büchner seinen Lenz ohne historische Vorgabe sagen: »Man versuche es einmal und senke sich in das Leben des Geringsten und gebe es wieder, in den Zuckungen, den Andeutungen, dem ganzen feinen, kaum bemerkten Mienenspiel.« Alles spricht dafür, dass Büchner hier eine Aufforderung an sich selbst richtete. Jedenfalls hat er den an dieser Stelle ausgesprochenen ästhetischen Anspruch mit *Woyzeck* eingelöst. Programmatischer Grundgedanke

Was der Dichter über die gesellschaftlichen Verhältnisse, auf die sich sein Drama bezieht, dachte, als der Plan dazu reifte, sprach er sehr entschieden aus in dem Brief an Karl Gutzkow (1811–1878) Anfang Juni 1836: »Die Gesellschaft mittelst der *Idee*, von der *gebildeten* Klasse aus reformieren? Unmöglich! Unsere Zeit ist rein *materiell*, wären Sie je direkter politisch zu Werk gegangen, so wären Sie bald auf den Punkt gekommen, wo die Reform von selbst aufgehört hätte. Sie werden nie über den Riß zwischen der gebildeten und ungebildeten Gesellschaft hinauskommen. Ich habe mich überzeugt, die gebildete und wohlhabende Minorität, so viel Konzessionen sie auch von der Gewalt für sich begehrt, wird nie ihr spitzes Verhältnis zur großen Klasse aufgeben wollen. [...] Ich glaube, man muß in sozialen Din- Gesellschaftliche Verhältnisse gen von einem absoluten *Rechtsgrundsatz* ausgehen, die Bildung eines neuen geistigen Lebens im Volk suchen und die abgelebte moderne Gesellschaft zum Teufel gehen lassen.«

Beginn der Arbeit am Werk

Konkrete Angaben zur Entstehungsgeschichte des Werks fehlen, die Arbeit daran begann frühestens im Sommer, wahrscheinlich im September 1836 und endete mit Büchners Erkrankung zwei bis drei Wochen vor seinem Tod am 19. Februar 1837. Unmittelbar vorausgegangen war, nach dem Abschluss des *Mémoire sur le système nerveux du barbeau*, der Abhandlung über seine anatomischen Untersuchungen zum Nervensystem von Fischen, die vorläufige Fertigstellung von *Leonce und Lena*. Soviel ist aus dem Zusammenhang einiger Hinweise aus Briefen zu entnehmen.

An seinen Freund Eugène Boeckel schrieb er am 1. Juni 1836: »[W]enn ich meinen Doctor bezahlt habe, so bleibt mir kein Heller mehr und schreiben habe ich die Zeit nichts können. Ich muß eine Zeitlang vom lieben Kredit leben und sehen, wie ich mir in den nächsten 6–8 Wochen Rock und Hosen aus meinen großen weißen Papierbogen, die ich vollschmieren soll, schneiden werde.«

Philosophie

Über Schädelnerven

In die Entstehungszeit fällt außerdem die Vorbereitung auf einen Lehrkurs in vergleichender zoologischer Anatomie und einen weiteren in Philosophie mit der Ausarbeitung der Vorlesungsskripte über René Descartes (1596–1650) und Baruch Spinoza (1632–1677) für das Wintersemester 1836/37 an der Universität Zürich sowie die der Probevorlesung über Schädelnerven (gehalten am 5. November 1836). Darauf bezieht sich ein Brief Büchners vom 2. September an seinen Bruder Wilhelm (1816–1892) mit einem spezifischen Hinweis auf die Komödie und das Drama über die Mordgeschichte. Wissenschaftliche und poetische Arbeit laufen synchron bzw. überschneiden sich mit merklichem Einfluss auf das Drama.

Entwurfsreihe H 1

Mit der Entwurfsreihe H 1 lag, einer Mitteilung an die Eltern im September 1836 zufolge, zu der Zeit schon eine Fassung vor mit zügig durchgeführter Handlung von der Entwicklung des Eifersuchtskonflikts bis hin zum Vollzug der Mordabsicht, die mehr und mehr Besitz ergriffen hat vom Protagonisten; der heißt auf dieser Textstufe noch Louis und die Frau Magreth. Vor Büchners Übersiedlung nach Zürich im Oktober 1836 kam in Straßburg noch H 2 mit dem ersten Ausbau der Handlung hinzu sowie der Anfang von H 3. In Zürich gingen künstlerische Produktion (*Woyzeck* H 3 und H 4) und wissenschaftliche Arbeit (das Kolleg über vergleichende Anatomie der Fische und Amphibien) »ohne Rast und Ruh« – am 20. 1. 1837 an seine Verlobte Wilhelmine Jaeglé (1810–1880) – in Tag- und Nachtarbeit weiter. Später (1850) berichtete Büchners Bruder Ludwig (1824–1899): »Kurz vor Beginn der tödlichen Krankheit schrieb er an seine Braut, er würde in längstens acht Tagen Leonce und Lena *mit noch zwei anderen Dramen* erscheinen lassen.« Für den offenbar geplanten Sammelband müßte *Woyzeck* zu dem Zeitpunkt so gut wie fertiggestellt gewesen sein.

H 2 und H 3

Überliefert ist das Werk in einem Konvolut von drei verschiedenformatigen Handschriften. Diese bestehen aus vier einander ergänzenden Teilentwürfen auf jeweils fortgeschrittener Entstehungsstufe von der zuerst niedergeschriebenen Szenenfolge an. Die Siglen H 1 bis H 4 geben die Stufenfolge der Teilniederschriften an. Eine Handschrift im Folioformat besteht aus den Teilen H 1 und H 2. H 3 bezeichnet eine Handschrifteneinheit im Quartformat mit der Niederschrift überarbeiteter Szenenentwürfe aus H 1 und H 2 und weiteren Szenen. Mit H 4 kommt ein Einzelblatt im Quartformat hinzu, ein Ergänzungsentwurf, der aus zwei zuletzt entstandenen Szenen zu verschiedenen Abschnitten der Handlung besteht. Er belegt den Werkzusammenhang der getrennten Entwurfsreihen.

Handschriften-Zusammenhang

Die vormalige, in anderen Ausgaben noch anzutreffende umgekehrte Zuordnung der Siglen H 3 und H 4 geht auf einen überholten Erkenntnisstand über die Entstehungsfolge der Handschriften zurück (s. Büchner, Bd. 1, S. 678–714). Technisch aufwendige Materialuntersuchungen an Papier und Tinte der Handschriften bestätigten letztens die entstehungsgeschichtliche Stellung des Ergänzungsentwurfs H 4 nach H 3. Der 2005 erschienene Band 7 der Marburger Büchner-Ausgabe behält dessen ungeachtet die trügerische Zuordnung der Siglen bei, die zur Auflösung des Werkzusammenhangs verleitet.

Die Textproduktion folgt in drei nach der ersten Entwurfsreihe

H 1 vollzogenen Schüben in H 2 bis H 4 dem Prinzip einer immer weiterer Öffnung der ursprünglich geschlossenen Eifersuchtshandlung. Woyzecks Situation resultiert aus einer zunehmenden Zahl von Abhängigkeitsverhältnissen. In H 1 steht ihm zunächst nur ein Rivale, der Unteroffizier (später Tambourmajor), gegenüber, in H 2 kommt der Doktor als Gegenfigur hinzu, und es taucht der Hauptmann auf, der dann in H 3 erst seine ganze Rolle ausfüllt. Mit dem Ausbau des sozialen Umfelds wächst der Personalbestand des Stücks: Nachbarin, Handwerksburschen, Woyzecks Kind in H 2, der Jude in H 3. Der Logik dieses Entfaltungsvorgangs folgt in H 4 zuletzt die Einführung des Professors mit Studenten.

Zunehmende Abhängigkeitsverhältnisse Woyzecks

Gleichlaufend mit dem Andrängen von mehr und mehr fremden Bestimmungen prägte Büchner eine veränderte Reaktionsweise seiner Hauptgestalt aus. In seinem Sprachverhalten hebt Woyzeck sich zunehmend vom rhetorischen Gebaren der Gebildeten ab. Sein Ausdruck wird in dem Maße, in dem die Dialoge mit ihnen zu einem Aneinander-vorbei-Sprechen missraten, immer karger, bis hin zum Verstummen in H 4,1. Dort endet der Dialog mit Woyzecks hoffnungslosem »Ach Herr Doktor!«. Die anschließende herabwürdigende Vorführung analog zu der Szene mit dem Schaubudenpferd in H 2 erleidet er stumm. Zu den Tendenzen, die sich im Laufe der Ausarbeitung immer stärker durchsetzen, gehört die fortschreitende Individualisierung der Volksgestalten im Unterschied zu den Gegenfiguren, die als Typen festgelegt bleiben.

Veränderte Reaktionsweisen Woyzecks

Damit einher geht die Entwicklung der Figurenbezeichnungen. Aus SOLDAT, wie in H 1 einmal noch analog zu Unteroffizier die Sprecherbezeichnung heißt, wird anschließend LOUIS. Louise, bzw. Maries Kind erscheint in H 2 und in H 3 nur als DAS KIND. In H 1 gibt es noch gar kein Kind. In H 4 endlich hat das Kind zum ersten Mal einen Namen. Christian und Christianche spricht Woyzeck es jetzt an. Auch DER IDIOT (vorher NARR) in den Sprecherangaben bekam mit KARL anstelle der Typenbezeichnung als letzte der Arme-Leute-Figuren einen Personennamen.

Entwicklung der Figurenbezeichnungen

Insgesamt enthält der überlieferte Handschriftenkomplex 49 Niederschriften von Szenen oder Szenenansätzen. Zieht man

49 Szenen bzw. Szenenansätze

die durch Streichung unzweifelhaft als verworfen gekennzeichneten und durch Neufassungen überholten ab, verbleiben als letztgültiger Textbestand 31 Szenen.

Da das Werk nicht als Ganzes in einer abschließenden Fassung von Büchner vorliegt, kann ein zusammenhängender Text des Dramas nur editorisch aus den Einzelbeständen hergestellt werden. Solange weitgehend Unklarheit sowohl über die Entstehungszusammenhänge der Teilentwürfe und damit den Grad ihrer Autorisiertheit als auch die Reihenfolge der Szenen herrschte, leiteten nicht nur Regisseure daraus das Recht ab, sich aus dem Textfond ihre je eigene Fassung zusammenzustellen. Die Herausgeber der gedruckten Ausgaben gingen ihnen dabei voran, sie hatten gar keine andere Wahl. Kein anderes Werk der Weltliteratur ist daher wohl in so vielen unterschiedlichen Versionen verbreitet wie *Woyzeck*. An keinem anderen hat die Intention des Herausgebers einen so hohen, weitgehend versteckten, Anteil neben der des Autors. Bis zur beginnenden textkritischen Sondierung des Handschriftenbestandes war dies die unabdingbare Voraussetzung für die Publikation des Werks. Nach 1920 erschienene Ausgaben tragen dem Sachverhalt Rechnung, indem sie als Herausgeberfassungen gekennzeichnet sind, üblicherweise durch die Bezeichnung »Lese- und Bühnenfassung«.

Unterschiedliche Versionen des *Woyzeck*

Indessen führte die weitgehende, in einem Punkt aber unstimmige Aufklärung der Handschriftenverhältnisse zu einer Bewertungsabstufung im Textbestand, mit der Konsequenz, dass Herausgeberfassungen von Bergemann (1922 ff.) bis Dedner (1999) bestimmte Szenen, zu Unrecht, wie sich herausstellte, dezidiert als minder autorisiert aus dem Werkbestand aussonderten, darunter die von Büchner zuletzt geschriebene Schlussszene H 4,2.

»Lese- und Bühnenfassung«

Die »Kombinierte Werkfassung« in unserer Ausgabe ist aus dem Gesamtbestand der Szenen, den die Handschriften enthalten, editorisch hergestellt. Nur das von Büchner selbst eindeutig als wieder verworfen Gekennzeichnete lässt sie aus. Sie unterscheidet sich damit grundsätzlich vom eingeführten Typ der »Leseausgaben«. Weder geht sie davon aus, dass Text einer Entstehungsstufe den einer anderen aus dem letztgültigen Werkbe-

»Kombinierte Werkfassung«

stand ausschließt, noch selektiert sie einzelne Szenen nach einer Bewertung des Vollendungsgrades ihrer Gestaltung. Mit ihren 31 Szenen erschließt die vorliegende »Kombinierte Werkausgabe« das Drama unverkürzt in seinem letztgültigen Textbestand. Die Legitimation dazu bezieht sie aus dem textkritischen Befund des de facto autorisierten Werkzusammenhangs aller Teilentwürfe (s. Büchner, Bd. 1, 678–714).

Übersichten

Szenenfolgen im Handschriftenzusammenhang

H 1 1. Teil- entwurf	H 2 2. Teil- entwurf	H 3 Haupt- fassung	H 4 Ergän- zungs- entwurf	Kombi- nierte Werk- fassung
	*1 Freies Feld. Die Stadt in der Ferne	1 Freies Feld. Die Stadt in der Ferne		1
	*2 Die Stadt	2 Marie mit ihrem Kind am Fenster. Margreth		2
1 Buden. Volk	3 Öffent- licher Platz. Buden. Lichter	3 Buden. Lichter. Volk		3
	*4 Hand- werks- burschen			
2 Das Innere der Bude	5 Unter- officier. Tam- bour- major			4, 5
°3 Magreth allein				6
			1 Der Hof des Pro- fessors	7
		4 Marie, sitzt, ihr Kind auf dem Schooß		8

H 1 1. Teilentwurf	H 2 2. Teilentwurf	H 3 Hauptfassung	H 4 Ergänzungsentwurf	Kombinierte Werkfassung
		5 Der Hauptmann. Woyzeck		9
		6 Marie. Tambourmajor		10
		7 Marie. Woyzeck		13
	*6 Woyzeck. Doctor	8 Woyzeck. Der Doctor		11
	7 Straße. Hauptmann. Doctor	9 Hauptmann. Doctor		12
*4 Der Kasernenhof	*8 Woyzeck. Louisel	10 Die Wachtstube		14
*5 Wirthshaus		11 Wirthshaus. Die Fenster offen, Tanz. Bänke vor dem Haus		15
*6 Freies Feld		12 Freies Feld		16
*7 Ein Zimmer. Louis und Andres		13 Nacht. Andres und Woyzeck in einem Bett		17
8 Kasernenhof				18

H 1 1. Teil- entwurf	H 2 2. Teil- entwurf	H 3 Haupt- fassung	H 4 Ergän- zungs- entwurf	Kombi- nierte Werk- fassung
*9 Der Officier. Louis				
*10 Ein Wirthshaus. Barbier. Unterofficier		14 Wirthshaus. Tambourmajor. Woyzeck. Leute		19
11 Das Wirthshaus. Louis sitzt vorm Wirthshaus		15 Woyzeck. Der Jude		20
12 Freies Feld				
	*9 Louisel, allein. Gebet	16 Marie, allein, blättert in der Bibel		21
13 Nacht. Mondschein. Andres und Woyzeck in einem Bett		17 Kaserne		22
14 Magreth mit Mädchen vor der Hausthür				23

H 1 1. Teilentwurf	H 2 2. Teilentwurf	H 3 Hauptfassung	H 4 Ergänzungsentwurf	Kombinierte Werkfassung
15 Magreth und Louis				24
16 Es kommen Leute				25
17 Das Wirthshaus				26
18 Kinder				29
19 Louis, allein				27
20 Louis an einem Teich				28
			2 D. Idiot. D. Kind Woyzeck	30
21 Gerichtsdiener. Barbier. Arzt. Richter				31

* Gestrichene Szenen
° Versehentlich mitgestrichen

Szenen-Übertragungen und -Ersetzungen in den Entwicklungsstufen

		H 2,1	$\longrightarrow$	H 3,1
		H 2,2	$\longrightarrow$	H 3,2
H 1,1 }	- - $\rightarrow$	H 2,3	(- - $\rightarrow$	H 3,3)
H 1,2 }				
H 1,4		$\longrightarrow$		H 3,10
H 1,5		$\longrightarrow$		H 3,11
H 1,6		$\longrightarrow$		H 3,12
H 1,7		$\longrightarrow$		H 3,13
		H 2,4	- - - - $\rightarrow$	H 3,11
		H 2,6	$\longrightarrow$	H 3,8
		H 2,7	$\longrightarrow$	H 3,9
		H 2,8	$\longrightarrow$	H 3,7
		H 2,9	$\longrightarrow$	H 3,16
H 1,9 }				
H 1,10	⟨1. Teil⟩ }	- - - - - - $\rightarrow$		H 3,14
H 1,10	⟨Schluss⟩	- - - - - - $\rightarrow$		H 3,11
H 1,11		- - - - - - - - - - $\rightarrow$		H 3,11
H 1,11	⟨Schluss⟩ }			
H 1,12	}	- - - - - - - $\rightarrow$		H 3,12
H 1,13	⟨Anfang⟩	- - - - - - $\rightarrow$		H 3,13
H 1,13	⟨2. Teil⟩	- - - - - - $\rightarrow$		H 3,12

———— Übertragungen
- - -→ Teilweise Verwendungen oder Ersetzungen

Entfaltung des Figurenfeldes und Entwicklung der Figurenbezeichnungen in den Entstehungsstufen

Teilentwurf 1	Teilentwurf 2	Hauptfassung	Ergänzungs-entwurf
Marktschreier vor einer Bude	*Ausrufer* an einer Bude *Alter Mann** *Kind* das tanzt* *Student** *Handwerks-burschen**	*Handwerks-burschen*	
Soldat/Louis *Magreth* (im Sprechtext Magrethche/ Woyzecke)	*Woyzeck/Franz* *Louise/Louisel*	*Woyzeck/Franz* *Marie* (im Sprechtext Zickwolfin)	*Woyzeck*
	*Louisels und Woyzecks Kind** (im Sprechtext Bu/Junge)	*Ihr Kind*	*Das Kind* (im Sprechtext Christian/ Christianche)
	Magreth (Nachbarin von Louise)*	*Margreth*	
Unterofficier	*Tambourmajor* *Unterofficier** (Begleiter von Tambourmajor) *Soldaten**	*Tambourmajor*	
Andres	*Andres*	*Andres*	
Der Narr (im Sprechtext Karl)		*Narr*	*Der Idiot/Karl*
Der Officier (ohne Text)	*Major* *Hauptmann**	*Hauptmann*	
Barbier *Großmutter*			

Teilentwurf 1	Teilentwurf 2	Hauptfassung	Ergänzungs-entwurf
Mädchen			
Leute			
Wirth			
Käthe			
Kinder			
Gerichts-diener			
Arzt (ohne Text)			
Richter (ohne Text)			
		Der Jude*	
	Doctor*	Doctor	Doctor
			Der Professor*
			Studenten*

* in dieser Entstehungsstufe neu eingeführter Handlungsträger

Zusammensetzung der Werkfassung

Verwendete Szenen – in der
Reihenfolge des rekonstruierten
Handlungsablaufs

Quelle der ver-
wendeten Szenen in den
Entstehungsstufen

<table>
<tr><td>1 Freies Feld. Die Stadt in der Ferne</td><td>Hauptfassung 3,1</td></tr>
<tr><td>2 Marie mit ihrem Kind am Fenster.
Magreth</td><td>Hauptfassung 3,2</td></tr>
<tr><td>3 Buden. Lichter. Volk</td><td>Teilentwurf (3,3) 2,3</td></tr>
<tr><td> Ergänzung aus</td><td>Teilentwurf 1,1</td></tr>
<tr><td>4 Unteroffizier. Tambourmajor</td><td>Teilentwurf 2,5</td></tr>
<tr><td>5 Das Innere der Bude</td><td>Teilentwurf 1,2</td></tr>
<tr><td>6 Marie allein</td><td>Teilentwurf 1,3</td></tr>
<tr><td>7 Der Hof des Professors</td><td>Ergänzungsentwurf 4,1</td></tr>
<tr><td>8 Marie, ihr Kind auf dem Schoß</td><td>Hauptfassung 3,4</td></tr>
<tr><td>9 Der Hauptmann. Woyzeck</td><td>Hauptfassung 3,5</td></tr>
<tr><td>10 Marie. Tambourmajor</td><td>Hauptfassung 3,6</td></tr>
<tr><td>11 Woyzeck. Der Doktor</td><td>Hauptfassung 3,8</td></tr>
<tr><td>12 Hauptmann. Doktor</td><td>Hauptfassung 3,9</td></tr>
<tr><td> Ergänzung aus</td><td>Teilentwurf 2,7</td></tr>
<tr><td>13 Marie. Woyzeck</td><td>Hauptfassung 3,7</td></tr>
<tr><td>14 Wachtstube</td><td>Hauptfassung 3,10</td></tr>
<tr><td>15 Wirtshaus</td><td>Hauptfassung 3,11</td></tr>
<tr><td>16 Freies Feld</td><td>Hauptfassung 3,12</td></tr>
<tr><td>17 Nacht</td><td>Hauptfassung 3,13</td></tr>
<tr><td>18 Kasernenhof</td><td>Teilentwurf 1,8</td></tr>
<tr><td>19 Wirtshaus</td><td>Hauptfassung 3,14</td></tr>
<tr><td>20 Woyzeck. Der Jude</td><td>Hauptfassung 3,15</td></tr>
<tr><td>21 Marie. Das Kind. Der Idiot</td><td>Hauptfassung 3,16</td></tr>
<tr><td>22 Kaserne</td><td>Hauptfassung 3,17</td></tr>
<tr><td>23 Marie mit Mädchen vor der Haustür</td><td>Teilentwurf 1,14</td></tr>
<tr><td>24 Marie und Woyzeck</td><td>Teilentwurf 1,15</td></tr>
<tr><td>25 Es kommen Leute</td><td>Teilentwurf 1,16</td></tr>
<tr><td>26 Das Wirtshaus</td><td>Teilentwurf 1,17</td></tr>
<tr><td>27 Woyzeck allein</td><td>Teilentwurf 1,19</td></tr>
<tr><td>28 Woyzeck an einem Teich</td><td>Teilentwurf 1,20</td></tr>
<tr><td>29 Kinder</td><td>Teilentwurf 1,18</td></tr>
<tr><td>30 ⟨KARL.⟩ Das Kind. Woyzeck</td><td>Ergänzungsentwurf 4,2</td></tr>
<tr><td>31 Gerichtsdiener. Arzt. Richter</td><td>Teilentwurf 1,21</td></tr>
</table>

Wirkungsgeschichte

Der 1837 mit 23 Jahren gestorbene Dichter hätte hundert werden müssen, um sein Drama einmal aufgeführt sehen zu können.
Die zeitgenössische Rezeption fiel aus. Wirkung zeitigte das
Werk zuerst lediglich indirekt: in den zähen Widerständen gegen
die nach der Einsicht in den Nachlass angestrebte Veröffentlichung und in der Beharrlichkeit eines Enthusiasten, der sie nach
vier Jahrzehnte andauernder Verzögerung dennoch durchsetzte.
Der hieß Karl Emil Franzos (1848–1904), stammte aus Ostga-   K. E. Franzos
lizien, dem Getto der ärmsten aller unterdrückten Juden in der
österreichischen k. u. k.-Monarchie, und hatte von daher Zugang zur *Woyzeck*-Welt. Büchner hatte nur 1835 einmal kurz-
zeitig die literarische Öffentlichkeit aufgeregt mit seinem vom
Herausgeber Karl Gutzkow vorbeugend zensurbeschnittenen
Drama *Danton's Tod*. Dieses einzige zu Lebzeiten Büchners gedruckte dichterische Werk war als der frechste Ausbund der
»Läster- und Lasterschule« der Literatur des Jungen Deutschland gebrandmarkt worden, über die noch im selben Jahr ein
Generalverbot verhängt wurde.
Die frühen Veröffentlichungspläne der Angehörigen führten mit
keinem der nacheinander vorgesehenen Herausgeber zu Verein-
barungen. In der endlich 1850 erschienenen, von Ludwig Büchner besorgten Ausgabe der *Nachgelassenen Schriften* war das   *Nach-*
»beinahe vollendete Drama«, von dem man aus dem *Nekrolog*   *gelassene*
von Wilhelm Schulz (1797–1860) auf Büchner wusste, nicht   *Schriften*
enthalten. Ein »ziemlich weitgediehenes Fragment eines bürger-   (1850)
lichen Trauerspiels ohne Titel« nennt es der Herausgeber im
Nachwort (Ludwig Büchner, S. 39). Zusammen mit dem jüngs-
ten Bruder Alexander Büchner (1827–1904) hatte er bereits den
überwiegenden Teil der Handschriften ins Reine übertragen,
konnte sich aber nicht entschließen, das Fragment in die Sammlung aufzunehmen. Er gab an, die Schrift sei zum größten Teil
unleserlich und die entzifferten Szenen wären nicht in Zusammenhang zu bringen. Später hat er sittliche und ästhetische Be-
denken gegen die Veröffentlichung eingeräumt.
Büchner war ein unbekannter Autor, als es Karl Emil Franzos
mit Ludwig Büchners Zustimmung 25 Jahre später gelang, den

Frankfurter Verlag Sauerländer, in dem schon *Danton's Tod* und ein Band mit Büchners Übersetzungen von zwei Dramen erschienen waren, für das Projekt einer ersten umfassenden Ausgabe von dessen Werken zu gewinnen. Die *Nachgelassenen Schriften* von 1850 hatten die Beachtung einiger Rezensenten gefunden, aber auch kaum mehr Leser.

Wozzeck (1875)

Im November 1875 druckte die *Neue Freie Presse* in Wien in zwei Folgen aus Georg Büchners Nachlass den größten Teil der Szenen von *Wozzeck* in der Fassung von Franzos. Den Titel gab Franzos dem Werk nach dem von ihm verlesenen Namen der Hauptgestalt. Die richtige Lesung des Namens, Woyzeck, stellte

Entdeckung von Büchners Quelle

sich erst 1914 mit der Entdeckung von Büchners Quelle, dem gerichtsmedizinischen Gutachten über den Mörder Johann Christian Woyzeck (1780–1824), heraus (Hugo Bieber 1914). Ein vollständiger Erstdruck von *Wozzeck. Ein Trauerspiel-Fragment von Georg Büchner*, mitgeteilt von Karl Emil Franzos, erschien im Oktober 1878 in den Nummern 1–3 der Wochenschrift *Mehr Licht!* in Berlin.

Sämmtliche Werke (1880)

In dieser Form nahm Franzos das Werk auf in *Georg Büchner's Sämmtliche Werke und handschriftlicher Nachlaß*, die er in J. D. Sauerländer's Verlag, Frankfurt am Main, herausgab. Das Buch kam nicht wie ausgewiesen 1879, sondern erst im März 1880 heraus. Die darin enthaltene unabgeschlossene biographische Einleitung wurde zur Quelle des Wissens über Büchner. Vorausgegangen waren langwierige Querelen mit Ludwig Büchner, der von Franzos verlangte, den Text von »Trivialitäten« und »Zynismen« zu säubern, um einen Skandal zu vermeiden. Der damals schon weltbekannte Verfasser von *Kraft und Stoff* (1854), einer Programmschrift des naturwissenschaftlichen Materialismus, war als Atheist und politischer Oppositioneller persönlich angefeindet und daher ernstlich besorgt um seine bürgerliche Existenz als Arzt.

Zu einem Bucherfolg ist die Ausgabe von Franzos noch weniger geworden als die schon bald vergessenen *Nachgelassenen Schriften* von 1850. Von den 1 200 gedruckten Exemplaren wurden bis 1892 nur 268 Stück verkauft (Hauschild 1985, S. 150). Auf dem Rest blieb Sauerländer sitzen. Preiswertere Ausgaben, die den Text von Franzos nachdruckten, verhalfen dem Dichter dann aber erstmals zu einem nennenswerten Lesepublikum.

Die Kritik, soweit sie Notiz nahm von der Neuerscheinung, ließ nicht viel Gutes an *Wozzeck* und der Ausgabe von Franzos. Ablehnung des Dramas Erich Schmidt (1853–1913), der damals prominenteste deutsche Literarhistoriker, warnte in der *Deutschen Literaturzeitung* im Dezember 1880 vor Franzos' Verherrlichung Büchners und tat *Wozzeck* als »tolles, wüstes Zeug« ab. Der mit Schriften zur Ästhetik einflussreiche Philosoph und Literaturwissenschaftler Friedrich Theodor Vischer (1807–1887) bedachte das Werk mit der Einschätzung als Abfall-Literatur, wörtlich »Afterpoesie« (Hauschild 1985, S. 171).

Die Rehabilitierung fiel fulminant aus. Es waren zuallererst die Naturalisten, die in den 1880er und 1890er Jahren den blockierten Zugang zu Büchner aufbrachen. Rehabilitierung durch die Naturalisten Sie akzeptierten die Verbannung der hässlichen Seiten der Wirklichkeit aus der Kunst nicht länger, machten sich die wissenschaftlichen Einsichten in die Natur des Menschen zu eigen und bezogen die Lebenswelt der Arbeitenden und sozial Ausgegrenzten unbeschönigt in die literarische Wahrnehmung ein. Der junge Gerhart Hauptmann (1862–1946), der die Bewegung in Deutschland anführte, G. Hauptmann dankte Büchner ausdrücklich »entscheidende Anregungen«. Im Kreise mitstrebender Schriftstellerkollegen wurde er zum begeisterten Propagandisten seiner Entdeckung.

Neben Hauptmann hatte Frank Wedekind (1864–1918) mit F. Wedekind seinem Drama *Frühlings Erwachen* (1891, Uraufführung 1906) initiativen Anteil daran, dass Büchner, vor allem mit *Woyzeck*, in einer Intensität und einem Umfang verändernd auf die Literatur und das Theater einzuwirken begann wie kein anderer Autor und kein anderes Werk. Im Sog seiner vehement einsetzenden Erfolgsgeschichte kamen die ebenfalls wenig geachteten oder vergessenen Neuerer Lenz, Heinrich von Kleist (1777–1811) und Grabbe mit zu ihrem Recht.

Mit *Frühlings Erwachen* griffen, noch bevor *Woyzeck* zur Aufführung gelangte, Auffassungsmuster und Techniken auf das Theater zu, die Büchner in seinem Stück entwickelt hatte: die Struktur gedrängter, abgerissen wirkender Szenen, ihre lockere Aneinanderreihung und bildmotivische Verkettung ohne Akteinteilung gehören dazu wie das mitunter schockierende Ineinanderübergehen von tragischen und komischen Aspekten; Steigerungen ins Groteske ebenso wie ein Aufbrechen der geschlossenen Redeform. Büchners scharfe Abhebung der Partei der Oberen in *Woyzeck* von den Arme-Leute-Figuren durch satirische Typisierungen der Figuren wendete Wedekind auf die Partei der Erwachsenen an, mit denen in seinem Stück die pubertierenden Jugendlichen konfrontiert sind.

Erstaufführung in München (1913)

Als Vorbild hatte *Woyzeck* also bereits Geschichte gemacht auf dem Theater, als das Werk selbst endlich am 8. November 1913 am Residenztheater München in der Regie von Eugen Kilian zum ersten Mal zur Aufführung gelangte. Das Projekt der Uraufführung zum 100. Geburtstag des Dichters war von Hugo von Hofmannsthal (1874–1929) betrieben und mitgestaltet worden. Damalige Bemühungen in München um eine Bühnenreform (s. Wolfram Viehweg 2001) unter Rückbesinnung auf die Shakespeare-Bühne und die neu eingeführte Technik der Drehbühne bildeten günstige Voraussetzungen für die Realisierung, die eindrucksvolle Verkörperung der Rolle Woyzecks durch Albert Steinrück (1872–1929) sicherte den Erfolg.

H. v. Hofmannsthal

Ab Mai 1914 war *Woyzeck* auch in Wien mit Steinrück zu sehen. In den Kriegsjahren bis 1918 führten Bühnen in Leipzig, Berlin, Frankfurt am Main und Königsberg das Stück auf. Alban Bergs (1885–1935) Besuch einer Vorstellung in Wien inspirierte den Schüler Arnold Schönbergs (1874–1951) zu seiner Oper *Wozzeck*, wie der Titel des Dramas damals noch lautete. Mit seinem am 14. Dezember 1925 in der Staatsoper in Berlin uraufgeführten Werk begründete Berg das Neue Musiktheater. Der Welterfolg seines *Wozzeck* machte Büchner international zuerst als Musikdramatiker bekannt. Nur wenig später, am 22. April 1926, kam in Bremen von Manfred Gurlitt (1890–1972) eine zweite Oper namens *Wozzeck* zur Uraufführung. Bis 1998 entstanden insgesamt 15 Opern mit Texten von Büchner.

Alban Bergs Oper

Nach dem Ersten Weltkrieg und in den Jahren nach der Novemberrevolution 1918 wurde *Woyzeck* in Deutschland fast überall als »das im tiefsten Sinne revolutionäre deutsche Drama und als die weitaus früheste und die weitaus größte proletarische Dichtung« gespielt (Julius Bab 1922). Einen Höhepunkt in der frü-

hen Bühnenlaufbahn *Woyzecks* bildete Max Reinhardts (1873–
1943) Inszenierung am Deutschen Theater in Berlin im April 1921 mit Eugen Klöpfer (1886–1950) in der Titelrolle. Einen prägenden Einfluss auf die Aufführungen der Folgezeit bis über die Jahrhundertmitte hinaus übte weiterhin eine Inszenierung von Ernst Hardt (1876–1947) 1923 in Weimar durch ihre Büh- nenfassung des Textes aus, die von den Leseausgaben des Insel- Verlages übernommen wurde. In den Jahrzehnten nach dem Zweiten Weltkrieg stieg Büchner auch international zu einer Orientierungsgröße erster Ordnung auf.

Nach zweimal lebenslanger Verdrängung war »der modernste aller Dichter« aus der Versenkung aufgetaucht und mit *Woy- zeck* »das größte Drama der deutschen Literatur« (Elias Canetti 1985). Einer der Anspruchsvollsten hatte das eben noch am tiefsten verachtete Drama als »eines der höchsten Produkte, die wir haben« empfohlen (Hugo von Hofmannsthal, 1913, zit. nach Viehweg 2001, S. 18). Büchner war zum Modellfall
für Modernität geworden. Die Spannweite der produktiven Aufnahme unter dem Eindruck der Münchner Aufführung reichte von Rainer Maria Rilke (1875–1926) bis Bertolt Brecht (1898–1956). Der noch unbekannte Brecht findet »kräftige Hil- fe« in *Woyzeck*. Rilke schrieb am 9. Juli 1915, hingerissen vom Erlebnis einer Vorstellung: »[E]in Schauspiel ohnegleichen, wie dieser mißbrauchte Mensch in seiner Stalljacke im Weltraum steht [...]. Das ist Theater, so könnte Theater sein.« Und einen Monat später: »wie vieles macht er [*Woyzeck*] unnütz, was man laut und begeistert begrüßt hat, wie vieles spätere. Hier geht ein Weg, ja ich möchte sagen: hier geht *der* Weg« (am 30.8.1915, zit. nach Viehweg 2001, S. 131 f.).

Wegweisend war Büchner mit *Woyzeck* auch für Arthur Ada- mov (1908–1970), der Büchner als den originellsten Dramati- ker nach Shakespeare für das moderne französische Theater neu entdeckt, übersetzt und propagiert hat. Seine von Büchner emp- fangene Anregung zur Begründung eines Theaters des Absurden nahm Samuel Beckett (1906–1989) von Adamov auf, was sich in seinem Welterfolg auszahlte.

Gerhart Hauptmann, Frank Wedekind, Ernst Toller (1893– 1939), Bertolt Brecht, Ödön von Horváth (1901–1938) – die

Reihe derer reißt nicht ab, für die er hilfreich war: »Büchner, Büchner, immer wieder Georg Büchner. Von ihm kommt alles her. Die Becketts, Ionescos, Adamovs haben alle von ihm gelernt« (Günter Grass, 1958). Jüngere, nach Heiner Müller (1929–1995), wären hinzuzufügen: Sarah Kane (1971–1999), die sich auf Büchner bezog, Fernando Bonassi (*1962) in Brasilien, Wassilij Sigarew (*1977) aus Nischnij Taigil, »einem 1,5-Millionen-Dorf, drei Europas hinter Moskau«, wie er es nennt, und Simon Stephens (*1971), der 2006 in London Furore machte mit einem Stück, zu dem ihn *Woyzeck* angeregt hatte. Darin kehrt ein Soldat heim aus dem Krieg im Irak in die permanente Katastrophe des heimatlichen Slums.

Woyzeck hat wie kein anderes einzelnes Werk Bewegung in die Aufführungspraxis des Sprech-Theaters gebracht. Und nicht nur das Neue Musiktheater hat das Stück inspiriert. Seine Sprache stimmt einen Ton an, der bis in die Rockszene weit in die moderne Musik hinein wirkt. Eine besondere Affinität hat das internationale Tanztheater zu dem Werk; seine körperbezogene Dramaturgie mit dem ihr eigenen Spannungsverhältnis von Figur und Raum reizt zu vielfältigen choreographischen Umsetzungen.

Bereits in der zweiten Hälfte des 20. Jahrhunderts war der Autor des *Woyzeck* im Ausland in die Spitzenposition der deutschen Klassiker aufgerückt. »Georg Büchner – unter den klassischen deutschen Dramatikern gehört er an die Spitze. Vor Goethe, [...] vor Lessing, Schiller und Kleist, deren herrliche Theaterwerke nicht verkleinert werden sollen [...] nichts ist so lebendig, bewegend und treffend geblieben wie das dramatische Werk Büchners, nichts auch so ›heutig‹ so repräsentativ für Deutschland und die deutsche Literatur und gleichzeitig so verständlich in anderen Ländern und Sprachen, so gastspiel- und übersetzungsfähig« (Günther Penzoldt 1965).

Ein anderer Theatermacher, der dieser Kunstform noch eine Zukunft zutraut, erklärt: »Für Goethe, Schiller und Kleist war Shakespeare ein Zukünftiger, er war ihr Ideal und ihre große Inspirationsquelle. Und Büchner wiederum wurde mit hundertjähriger Verspätung das poetische Kraftwerk, die heiß sprudelnde Ader für die Dramatik unserer Zeit« (Hermann Beil 1999).

Einfluss Büchners auf zeitgenössische Dramatik

Tanztheater

Woyzecks internationale Erfolgsgeschichte

Mit fortschreitender Globalisierung gewinnt die internationale Erfolgsgeschichte von *Woyzeck* an Auftrieb noch hinzu. Die Zahl neuer Übersetzungen und Adaptionen wächst. In den Theatermetropolen der Welt gehört *Woyzeck* zu den am häufigsten inszenierten Werken. Und wo freie Spielgruppen in urbanen Randzonen Theater neu erfinden, steht Büchner oft neben Brecht Pate dabei mit seinem aktuellsten Stück. Bis nach Korea breitete sich ein wahres »Woyzeck-Fieber« aus, das der mit hohen Preisen ausgezeichnete russische Regisseur Yuri Butusov 2003 mit seiner St. Petersburger *Woyzeck*-Produktion von 1997 ausgelöst habe (KOREAheute, März 2003).

Übersetzungen und Adaptionen

Im deutschen Feuilleton regte sich schon Unbehagen über eine »Russen-Woyzeck«-Welle, mit der Produktionen des Royal Court Theatre in London die zivilisierte Welt zu überschwemmen drohe. Abgesehen von einer so glamourösen Inszenierung wie die von Robert Wilson (mit Musik von Tom Waits) hatten Aufführungen von Büchners Drama wie auch Bergs Oper hierzulande in den 1990er Jahren nach einem Boom zuvor einen merklichen Rückgang in der Beachtung der Medien zu verzeichnen. Die Tendenz zu einem gewandelten Rezeptionsverhalten fällt auf. Woyzeck, der gejagte, einst so einvernehmlich bemitleidete »arme Kerl« scheint den nicht so Armen zunehmend Angst zu machen.

Literatur

Werkausgaben (chronologisch)

Büchner, Ludwig (Hg.), *Nachgelassene Schriften von Georg Büchner*, Frankfurt am Main 1850.

Franzos, Karl Emil (Hg.), *Georg Büchner's Sämmtliche Werke und handschriftlicher Nachlaß*. Erste kritische Gesammt-Ausgabe, Frankfurt am Main 1879.

Bergemann, Fritz (Hg.), *Georg Büchners sämtliche Werke und Briefe, auf Grund des handschriftlichen Nachlasses Georg Büchners*, Leipzig 1922.

Bergemann, Fritz (Hg.), *Georg Büchner. Werke und Briefe. Gesamtausgabe*. Neue durchgesehene Ausgabe, Frankfurt am Main, neunte berichtigte Ausgabe 1962, [12]1974.

Lehmann, Werner R. (Hg.), *Georg Büchner. Sämtliche Werke. Historisch-kritische Ausgabe mit Kommentar*. Bd. 1: *Dichtungen und Übersetzungen*. Mit Dokumentationen zur Stoffgeschichte, Hamburg 1967, München [2]1974; Bd. 2: *Vermischte Schriften und Briefe*, Hamburg 1971, München [2]1974.

Mayer, Thomas Michael (Hg.), *Georg Büchner. Gesammelte Werke. Erstdrucke und Erstausgaben in Faksimiles*, 10 Bändchen, Frankfurt am Main 1987.

Pörnbacher, Karl; Schaub, Gerhard; Simm, Hans-Joachim und Ziegler, Edda (Hg.), *Georg Büchner. Werke und Briefe. Münchner Ausgabe*, München 1988.

Poschmann, Henri (Hg.) unter Mitarbeit von Rosemarie Poschmann, *Georg Büchner. Sämtliche Werke, Briefe und Dokumente in zwei Bänden*. Bd. 1: *Dichtungen*, Frankfurt am Main 1992, Bd. 2: *Schriften, Briefe, Dokumente*, Frankfurt am Main 1999.

– Georg Büchner: *Dichtungen*, Deutscher Klassiker Verlag im Taschenbuch 2006.

– Georg Büchner: *Schriften, Briefe, Dokumente*. Frankfurt am Main 1999, Deutscher Klassiker Verlag im Taschenbuch 2006.

Woyzeck (Einzelausgaben)

Franzos, Karl Emil (Hg.), »Aus Georg Büchner's Nachlaß. ›Wozzeck‹«, in: *Neue Freie Presse*, Wien, 5. u. 23. 11. 1875.

Franzos, Karl Emil (Hg.), »›Wozzeck‹. Ein Trauerspiel-Fragment von Georg Büchner«, in: *Mehr Licht! Eine deutsche Wochenschrift für Literatur und Kunst*, hg. v. Silvester Frey, Berlin 1878.

Witkowski, Georg (Hg.), *Georg Büchner. »Woyzeck«. Nach den Handschriften des Dichters*, Leipzig 1920.

Schmid, Gerhard (Hg.), *Georg Büchner. »Woyzeck«.* Faksimileausgabe der Handschriften. Transkription, Kommentar, Lesartenverzeichnis, Leipzig 1981.

Poschmann, Henri (Hg.), *Georg Büchner. »Woyzeck«.* Nach den Handschriften neu hergestellt und kommentiert, Leipzig 1984; dasselbe: Frankfurt am Main 1985, ⁹2004.

Georg Büchner/Alfred Hrdlicka. Woyzeck. Nach den Handschriften neu hergestellt von Henri Poschmann. Mit Bildern von Alfred Hrdlicka und Beiträgen von Hans Mayer, Henri Poschmann und Theodor Scheufele, Frankfurt am Main und Wien 1991.

Dedner, Burghard (Hg.), *Georg Büchner. Woyzeck. Studienausgabe,* Nach der Edition von Thomas Michael Mayer, Stuttgart 1999.

Dedner, Burghard (Hg.) unter Mitarbeit von Gerald Funk und Christian Schmidt, *Georg Büchner. Woyzeck. Erläuterungen und Dokumente,* Stuttgart 2000.

Büchner, Georg, *Woyzeck.* Mit Illustrationen von Bernhard Heisig, Leipzig, 2004 (Insel-Bücherei Nr. 1260).

Büchner, Georg, *Woyzeck. Sämtliche Werke und Schriften. Historisch-kritische Ausgabe mit Quellendokumentation und Kommentar. Marburger Ausgabe,* Bd. 7, hg. v. Burghard Dedner und Gerald Funke, Darmstadt 2005.

Sekundärliteratur

Bieber, Hugo, *»Wozzeck« und »Woyzeck«,* in: *Literarisches Echo,* Bd. 16, 1. 6. 1914, S. 1188–1191.

Bab, Julius, *Die Chronik des deutschen Dramas,* Berlin 1922.

Wehrhan, Karl, *Frankfurter Kinderleben in Sitte und Brauch. Kinderlied und Kinderspiel,* Wiesbaden 1929.

Mayer, Hans, *Georg Büchner und seine Zeit,* Frankfurt am Main 1972; zuerst Wiesbaden und Berlin 1947.

Elema, Johannes, *Der verstümmelte Woyzeck,* in: *Neophilologus* 49, 1965, S. 131–156.

Penzoldt, Günther, *Georg Büchner,* Hannover 1965.

Hinderer, Walter, *Büchner-Kommentar zum dichterischen Werk,* München 1977.

Georg Büchner I/II, Text + Kritik Sonderband, hg. v. Heinz Ludwig Arnold, München 1979.

Büchner-Preis-Reden 1951–1971. Mit einem Vorwort v. Ernst Johann, Stuttgart 1981.

Oesterle, Günter, *Das Komischwerden der Philosophie in der Poesie. Literatur-, philosophie- und gesellschaftsgeschichtliche Konsequenzen der voie physiologique in Georg Büchners »Woyzeck«*, in: *Georg Büchner Jahrbuch* 3 (1983).

Büchner-Preis-Reden 1972–1983. Mit einem Vorwort v. Herbert Heckmann, Stuttgart 1984.

Poschmann, Henri, *Georg Büchner. Dichtung der Revolution und Revolution der Dichtung*, Berlin und Weimar 1984, ³1988.

Hauschild, Jan-Christoph, *Georg Büchner: Studien und neue Quellen zu Leben, Werk und Wirkung*. Mit zwei unbekannten Briefen. Königstein/Ts. 1985.

Canetti, Elias, *Das Augenspiel. Lebensgeschichte 1931–1937*, München, Wien 1985, Berlin 1986.

Hauschild, Jan-Christoph, *Georg Büchner. Biographie*, Stuttgart und Weimar 1993.

Bornscheuer, Lothar, *Georg Büchner »Woyzeck«. Erläuterungen und Dokumente*, Stuttgart 1995.

Beil, Hermann, *Erinnerungen nach vorn. Die spielerische Zukunftsforschung der Bühne*, in: *Frankfurter Rundschau*, 5.11.1999.

Knapp, Gerhard P., *Georg Büchner*, 3. vollständig überarbeitete Aufl., Stuttgart und Weimar 2000.

Viehweg, Wolfram, *Georg Büchners »Woyzeck« auf dem deutschsprachigen Theater*. 1. Teil: *1913–1918*, Krefeld 2001.

Goltschnigg, Dietmar (Hg.), *Georg Büchner und die Moderne. Texte, Analysen, Kommentar*. Bd. 1: *1875–1945*; Bd. 2: *1945–1980*; Bd. 3: *1980–2002*, Berlin 2001, 2002 u. 2004.

Lange, Wolfgang, »Literatur im Extrem. Georg Büchner's ›Woyzeck‹«, in: *Diskurse des Extremen. Über Extremismus und Radikalität in Theorie, Literatur und Medien*, hg. v. Leonhard Fuest und Jörg Löffler, Würzburg 2005.

Wort- und Sacherläuterungen

Freies Feld: Die Szene bildet den von Büchner zuletzt gewollten 9.1
Anfang des Dramas. Nach ursprünglichem Plan sollten die Jahr-
marktszenen »Buden, Volk« (H 1,1) und »Das Innere der Bude«
(H 1,2) das Drama eröffnen. Abweichend von diesen beiden
authentischen Varianten der Eröffnung stellten ältere Ausgaben
die Szene, in der Woyzeck den Hauptmann rasiert, an den Anfang. Sie folgen damit dem Herausgeber der ersten Ausgabe Karl
Emil Franzos, der sich 1875 bei der Anordnung der Szenen auf
sein eigenes Ermessen angewiesen sah angesichts der noch un-
aufgeklärten Beziehungen zwischen den Handschriftenteilen.
Die neuartige Eröffnung (ab H 2,1; überarbeitet in H 3,1) führt
ohne vorauserklärende Exposition einen offenbar psychisch Ge-
störten ein, dem die Bildung, die sprachliche Ausdrucksfähig-
keit und damit die Handlungsfreiheit offenbar nicht zu Gebote
steht, die man vom Protagonisten eines Dramas zu erwarten
gewohnt ist.

schneiden Stöcke: Mit dem Schneiden von Stöcken für ihren 9.2
Offizier verdienen Woyzeck und Andres sich zum Sold etwas
hinzu (s. H 2,2, S. 192,13). Soldaten untersten Ranges wurden
nach dem Reglement des großherzoglich-hessischen Militärs
von 1822 für Fehlverhalten mit gezählten Schlägen bestraft,
wofür solche Stöcke gebraucht wurden.

den Streif da [...] die Welt tot: Der Darstellung liegen Aussagen 9.3–26
des Mörders Johann Christian Woyzeck über seine Angstvisionen in der Zeit vor der Tat zugrunde. Nach dem gerichtsmedizinischen Gutachten von Johann Christian August Clarus
(1774–1854), das darüber berichtet, vermischte sich in diesen
Phantasien okkulter Volksglaube mit apokalyptischen Vorstellungen aus der Bibel und Mutmaßungen über Geheimnisse des
Freimaurerbundes.

auf den Hobelspänen: Auf Hobelspäne fiel bei seiner Hinrich- 9.6
tung auch der Kopf des enthaupteten historischen Woyzeck
(s. auch H 1,11).

die Freimaurer: Der Geheimbund der Freimaurer war als eine 9.6–7
weltliche Bruderschaft mit kosmopolitischem Anspruch entstanden. Er setzte sich dafür ein, die humanisierenden Bemü-

hungen der Aufklärung weltweit zu stärken. Im 18. Jh. wurde dem Bund enormer Einfluss nachgesagt. Aufgrund der Anonymität ihrer Oberen und ihres geheimnisvollen Gebarens liefen phantastische Gerüchte um über ihre gefürchtete Macht, u. a. mittels magischer Zeichen.

9.8 **Saßen dort zwei Hasen:** Das Volksliedmotiv kommt in mehreren Versionen vor, darunter in dem um 1820 gesungenen scherzhaften »Lied von zwei Hasen« sowie in dem Lied »Welterfahrung« mit der Anfangszeile »Zwischen Berg und tiefem, tiefem Tal«. Andres stimmt das Lied zur Ablenkung an. Dadurch, dass Woyzeck das Singen unterbricht, weil er meint, ein Klopfen zu hören, das ihm Angst macht, verdichtet sich die unheimliche Stimmung noch. Das Lied, das aufheitern sollte, wird zum Medium einer düsteren Vorausdeutung.

9.11–14 **Es pocht! [...] unter mir:** Der historische Woyzeck war beeindruckt von Gerüchten über unterirdische Versammlungsstätten und Kathedralen der Freimaurer. Akustische Halluzinationen, die ihn ängstigten, deutete der gerichtsmedizinische Untersuchungsbericht physiologisch als Echo des eigenen Herzklopfens (s. Büchner, Bd. 1, S. 946 u. 961).

9.22–23 **Ein Feuer fährt [...] herunter wie Posaunen.:** Bilder vom Weltuntergang aus der Bibel (Offb d. Joh, 8,5 f.) begleiten die Angstzustände, zu deren Erklärung vorerst kein Anhalt geboten wird. Wahrzunehmen sind lediglich die Symptome akuter Verstörtheit an einem, dem die Umwelt nicht geheuer erscheint, während sein Kamerad nichts Ungewöhnliches bemerkt. Eine Identifizierung wird so erschwert, eine kritische Distanz entsteht. Man ist angehalten, die absonderlichen Sinneseindrücke der Figur mit dem, was man selbst der Szene entnehmen kann, abzugleichen.

9.23–24 **Sieh nicht hinter dich.:** Das 1. Buch Mose erzählt (19,26), wie Lots Weib zur Salzsäule wurde, als sie hinter sich sah, wie Gott die sündigen Städte Sodom und Gomorrha mit Schwefel und Feuer überzog (19,24).

9.27 **Sie trommeln:** Das Zeichen zum Zapfenstreich. Nach allen fehlgeleiteten Zeichendeutungen Woyzecks stellt erst die zutreffende Erfassung der Signale des Trommelns durch Andres als dem Befehl, dem beide folgen müssen, eindeutige Realität her. Erst dadurch weist der Text sie als Soldaten aus und klärt die Ausgangssituation.

Marie: Aus Magreth, dem ursprünglichen Namen der weibli-   10.1
chen Hauptgestalt, der in H 2 auf die neu eingeführte Nachbarin
überging, ist dort Louise geworden und in H 3 dann Marie. Vom
Charakterbild der Figur ist in den Quellen nichts vorgezeichnet.
Die Witwe Woost, die J. Ch. Woyzeck 1821 in Leipzig nach einer
wechselvollen Beziehung und heftigem Streit erstach, weil sie
öfter mit Soldaten ging, die sie ihm vorzog, auch weil sie ihn
wegen seiner Armut verachtete, kommt als Modell für die Figur
nicht in Frage. Dem historischen Woyzeck hing in Wirklichkeit
noch die Beziehung mit einer anderen Frau mit einem Kind von
ihm an, die er verlassen hatte, weil er keine Heiratserlaubnis
hatte (s. »Anhang«, S. 111 f.; Büchner, Bd. 1, S. 954).

Kind: Ein Kind hat Marie mit Woyzeck bei Büchner erst ab   10.1
H 2.

Der Zapfenstreich geht vorbei: Ein Spielmannszug marschiert   10.2
durch Straßen zur Verkündung der Nachtruhe für die Soldaten.

Tambourmajor: In der ersten Entwurfsreihe (H 1), in der die   10.2
Hauptfigur noch »Soldat« und »Louis« hieß, stand für »Tambourmajor« noch »Unterofficier«. Ein Tambourmajor, der die
Trommler anführt und dirigiert, stand im sozialen Status einem
gemeinen Soldaten näher als einem Offizier.

Soldaten das sind schöne Bursch: In einer 1880 erstmals ge-   10.12
druckten Fassung des zugrundeliegenden Volkslieds heißt es:
»Soldaten das sein lustge Brüder [...] Sein den Mädchen gut.«

zum Jud: Juden war die Ausübung von Handwerks- und an-   10.14
deren Berufen jahrhundertelang verboten. Viele hatten sich daher traditionell auf Trödelhandel sowie Geldverleih verlegt, so
dass im einschlägigen Sprachgebrauch Jud (hess.) synonym für
Trödler steht.

Mädel, was fangst [...] Mensch nix dazu.: Büchner schöpft hier,   10.24–29
wie auch sonst oft, aus mündlicher Überlieferung.

Hansel spann deine [...] Wein muß es sein.: Ein in der Umge-   10.30–11.4
gend von Gießen gesungenes Fuhrmannslied. Gekannt haben
muss Büchner auch die elsäss. Variante »Reitliedchen« aus
der Sammlung *Elsässisches Volksbüchlein* seines Straßburger

Freundes August Stöber (1808–1884). Die von Marie gesungenen Lieder sind im Tanzrhythmus gehalten, womit sie einen
Vorklang auf die Tanzszene im Wirtshaus anstimmen.

11.10–11 **steht nicht gschrieben [...] Rauch vom Ofen?:** Im Bericht der
Bibel vom Untergang von Sodom und Gomorrha steht: »und
siehe, da ging ein Rauch auf vom Lande wie der Rauch von
einem Ofen« (1. Mose 19,28).

11.13 **Es ist hinter mir gegangen:** Über spukhafte Fußtritte, von denen
Woyzeck sich verfolgt fühlte, konnte Büchner in den Quellen
lesen (s. »Anhang«, S. 108 u. 118; Büchner, Bd. 1, S. 950 u.
961).

11.23 **Buden. Lichter. Volk:** Die dramaturgische Anregung zu dem ursprünglichen Plan, das Stück mit dem Jahrmarktszenen-Kom-
plex beginnen zu lassen, war von Christian Dietrich Grabbes
Drama *Napoleon oder Die hundert Tage* (1831) ausgegangen.
Dort steht am Anfang eine ähnliche Volksszene mit Ausrufern
von Schaubuden.

12.1 **das astronomische Pferd:** Im burlesken »Ausländerdeutsch« des
Ausrufers meint »astronomisch« die astrologische Begabung des
dressierten Pferdes zum Wahrsagen. Das mit unverdauten Bil-
dungsbrocken gespickte Sprachgemisch des Ausrufers weist ihn
als Angehörigen fahrenden Volks im dt.-franz. Grenzgebiet aus.
Seine Rede stellt, krasser herausfordernd noch als das Unterlaufen des Hochdt. durch die Hauptfiguren, einen Kontrast her zum
hohen Stil des klassischen nationalen Bildungstheaters.

12.2 **Kanaillevögele:** In der Gegend um Frankfurt am Main mundart-
lich für »Kanarienvögelchen«. Die irritierende Verbindung zu
Canaille (»Hundepack«) ist offenbar gewollt.

12.3 **Mitglied von alle gelehrte Sozietät:** Gesellschaft (regional-
sprachl. auch Plural). – Büchner war aufgrund seiner neuroana-
tomischen Untersuchungen an Fischen gerade selbst Mitglied
der gelehrten Straßburger »Société d'histoire naturelle« geworden. Die Zugehörigkeit zur Bildungselite hat ihn indessen nicht
versöhnt mit dem »Aristokratismus« von Leuten, »die im Be-
sitze einer lächerlichen Äußerlichkeit, die man Bildung, oder
eines toten Krams, den man Gelehrsamkeit heißt, die große
Masse ihrer Brüder ihrem verachtenden Egoismus opfern« (im
Februar 1834 an die Eltern).

Alles Erziehung: Die Aufklärung hatte übertriebene Erwartun- 12.5–6
gen an die Macht der Erziehung geweckt. Das wurde schon in
der Romantik ironisch registriert. Büchner kannte E. T. A. Hoff-
manns (1776–1822) *Fantasiestücke in Callots Manier* (1814/
15) mit der Nachricht von einem Affen, der »sprechen, lesen,
schreiben, musizieren usw. lernte; kurz, es in der Kultur so weit
brachte, daß er [...] in allen geistreichen Zirkeln gern gesehen«
war.

räpräsentation: représentation (franz.) Vorführung Repräsenta- 12.9
tion. Die Betonung des Vorführungscharakters ist ebenso be-
zeichnend für das Drama wie die Exponierung des Sprachpro-
blems.

mackt: Durch diese Aussprache von »macht« erinnert der Aus- 12.20
rufer an Professor Wilbrand, das »Äffken«, der in Gießen durch
seinen westfäl. »S-kinken-Dialekt« und die Verstiegenheit seiner Vorlesungen auffiel (s. Büchner, Bd. 1, S. 727). Der abwei-
chende Zungenschlag akzentuiert das Sprachgemisch des Ausrufers noch zusätzlich.

Unteroffizier: Dem Tambourmajor, der in H 2 aus dem Unter- 12.25
offizier in H 1 wurde, ist jetzt ein Stichwortgeber in dieser Char-
ge an die Seite gegeben.

Das Innere der Bude: Die zweite Budenszene kehrt die Perspek- 13.6
tive der ersten um. »Während vor der Bude das Tier den Menschen als die Spitze der Naturgeschichte und Zivilisation imi-
tiert, avanciert umgekehrt im Innern der Bude das Tier zur
Orientierungsfigur des Menschen« (Oesterle 1983, S. 210).

viehische Vernünftigkeit: Der Ausrufer erklärt Jean-Jacques 13.8
Rousseaus (1712–1778) Empfehlung »Zurück zur Natur« nach
seinem vulgärphilosophisch materialistischen Verständnis so:
Anders als das Tier verhält der Mensch sich unvernünftig zu
seiner Natur; deshalb sollte er vom Tier lernen. Vgl. auch
13,23–26.

mit der doppelten raison: Mit der doppelten Vernunft, der tie- 13.13–14
rischen und der menschlichen, soll das Pferd die Aufhebung des
Widerspruchs von Vernunft und Natur demonstrieren. Dem
Tier ist zu seiner an sich vernünftigen Natur hinzu noch Ver-
nunft vom Menschen beigebracht worden. Der Preis für den
Erwerb dieser zweiten, ihm fremden »Räson« ist aber für das

Pferd die Vergewaltigung seiner Natur durch die Abrichtung zum Vorführvehikel.

13.18–19 **Viehsionomik:** Wortspiel. Physiognomik ist die wissenschaftlich unhaltbare Lehre, aus der körperlichen Erscheinung eines Menschen, besonders aus der Gesichtsbildung, seinen Charakter ablesen zu können.

13.23–24 **das Vieh ist [...] unverdorbe Natur:** Der Schausteller blendet das naive Publikum auf der Bühne mit seinem Budenzauber. Das Theater im Theater stellt die Wahrnehmungsleistung des Publikums im Parkett auf die Probe. Wer die Vergewaltigung der Natur des Pferdes durch die Instrumentalisierung bemerkt, der wird sensibilisiert sein für die Wahrnehmung des Missbrauchs von Woyzeck durch den Doktor u. a.

13.25–26 **Mensch sei natürlich:** Die Forderung, die aus Rousseaus Zivilisationskritik folgte, hatte den jungen Goethe, J. M. R. Lenz und andere Autoren des Sturm und Drang zu mehr Volksnähe und Natürlichkeit auch im sprachlichen Ausdruck motiviert. Nach dem Ende der klassischen Literaturperiode knüpften Grabbe und Büchner wieder daran an.

13.26–27 **du bist geschaffe [...] Staub, Sand, Dreck?:** Nach dem Sündenfall ließ Gott Adam wissen: »[...] du bist Erde und sollst zu Erde werden« (1. Mose 3,19; s. auch Hiob 10,11). Mit Bezug darauf läßt J. M. R. Lenz in seinem Drama *Die Soldaten* auf die Frage, »was der Mensch ist«, die Antwort folgen: »Sehen Sie, das ist Ihre Hand, aber was ist das, Haut, Knochen, Erde« (II 2). Büchner greift das schon in H 1,10 auf.

13.30 **explizirn:** Erklären, verständlich machen. Die Unterscheidung zwischen Menschen und Tieren wird am Besitz der Sprache festgemacht. Der daraus abgeleiteten Logik zufolge, die Büchner parodiert, stehen Dichter den Göttern, weniger sprachkompetente Menschen, wie Woyzeck, den Tieren näher.

13.32–14.1 **ein Uhr [...] Eine Uhr!:** Während der Ausrufer sich der gewöhnlichen umgangssprachlichen Form bedient (»ein«), wie der Tambourmajor übrigens sonst auch (s. 12,28 f.), antwortet dieser hier betont hochsprachlich. Er trumpft auch körpersprachlich auf, wenn er »*großartig und gemessen*« die Uhr hervorzieht. Wer eine Uhr besitzt, ist ein Herr.

14.7 **Ein Mann vor einem Andern.:** Der Vorgang, dem Marie nachsinnt, spiegelt sich lediglich wider in ihrem Befremden über die Auswirkung des geringen gesellschaftlichen Rangunterschieds auf das natürliche Rivalitätsverhältnis der beiden Männer.

Der Hof des Professors: Zu Büchners Zeit hielten die Professoren in Gießen ihre Vorlesungen noch in ihren Wohnungen. Die Figur des Professors (mit Studenten) hat Büchner erst im Ergänzungsentwurf H 4 in dieser Szene eingeführt. Im Auftritt des Professors ist Professor Wilbrand wiederzuerkennen (s. Erl. zu 12,20). Der Status der Szene ist umstritten (s. S. 135). 14.8

wie David, als er die Bathseba sah: Vom Dach seines Palastes sah König David, so berichtet die Bibel, »eine Frau sich waschen; und die Frau war von sehr schöner Gestalt« (2. Sam. 11,2). So wie der Tambourmajor Marie, so sah und nahm König David sich die schöne Nachbarin, und schickte ihren Mann in den Tod. Die alte Geschichte lässt in der aktuellen die Urszene der Überschneidung von Erotik und sozialer Übermacht aufscheinen. 14.11–12

wir sind an [...] eignen Instinkt verhalten?: Der Professor ergeht sich im verquasten Stil von Wilbrand in naturphilosophischen Spekulationen. 14.14–22

Selbstaffirmation des Göttlichen: Selbstbejahung. – In spiritueller Selbstbejahung erlebt der Professor sich auf seinem »hohen Standpunkte« Gott nahe. Von dort blickt er herab auf die niedere Ebene der Objekte, auf der Woyzeck mit der Katze rangiert. 14.17

Zittern: J. Ch. Woyzeck hatte beim Erscheinen des Gerichtsmediziners Clarus ein Zittern des ganzen Körpers befallen wie hier Woyzeck beim Doktor. 14.27

DOKTOR [...] *Loupe:* Im Unterschied zum hochtrabend dozierenden Professor, der die Welt nur mit dem »geistigen Auge« sieht (wie Wilbrand), hält der Doktor sich unten im Hof an empirisch Greifbares. Als »erfolgsbesessener Experimentalphysiologe« (Eckhart Buddecke, in: Bornscheuer 1995, S. 15) verkörpert er im Verhältnis zum Professor den modernen Gegentyp des Naturwissenschaftlers, wie etwa Justus Liebig (1803–1873). 14.28–15.4

Sie können dafür [...] sehen, sehn Sie: Stärker noch als schon in *Danton's Tod* sind Appelle an die Wahrnehmungsbereitschaft kennzeichnend für Büchners Wirkungsstrategie in *Woyzeck*. 15.10–11

15.11–12 **seit einem Vierteljahr [...] nichts als Erbsen:** Der Doktor führt die ruinösen Wirkungen seiner Versuche an Woyzeck vor. Die Angabe »seit einem Vierteljahr« stellt klar, dass Woyzecks Drama nicht erst mit dem Anfang des Stücks beginnt.

15.17 *sie betasten ihm Schläfe, Puls und Busen:* Der Vorgang erinnert an den *Hessischen Landboten*, in dem es heißt: »[D]as Volk steht nackt und gebückt vor ihnen, sie legen die Hände an seine Lenden und Schultern und rechnen aus, wie viel es noch tragen kann.«

15.18–24 **beweg den Herren [...] Übergänge zum Esel:** Bei der Beschreibung der Ohrmuskeln pflegte Wilbrand im Anatomiekurs seinen Sohn vorzuführen, der die Ohren bewegen konnte. Dazu erklärte er: »Diese Muskeln sind beim Mens-ken obsolet geworden. Der Mens-k kann die Ohren nicht bewegen, das können nur die Äffken. Jolios, mach's mal!« (Vgl. Erl. zu 12,20.)

16.1–18 **Marie [...] ein arm Weibsbild:** Die Szene beginnt mit einem Gegenentwurf zur berühmten Schmuckszene in Goethes *Faust (I)*. Mit Marie stellt Büchner Gretchen eine plebejische, selbstbewusst vitale Gestalt an die Seite.

16.33 **Alles Arbeit:** Über Woyzecks Schicksal steht der Erfahrungssatz der durch Armut zur Arbeit gezwungenen Klasse aus *Danton's Tod*: »Unser Leben ist der Mord durch Arbeit.«

17.9 **Der Hauptmann:** Ein bestimmtes Vorbild für die Figur ist nicht bekannt. Sie passt aber in Habitus und Mentalität ganz in das überlieferte Bild des großenteils beamteten hess. Bürgertums der 1830er Jahre, dem Behäbigkeit, Gleichmütigkeit und Leutseligkeit nachgesagt wird.

17.16–17 **Was will Er [...] Zeit all anfangen?:** Zum Thema Langeweile, das eine auffallende Rolle in Büchners Werken spielt, äußerte er zuletzt, man müsse »die abgelebte moderne Gesellschaft zum Teufel gehen [...] lassen. Zu was soll ein Ding, wie diese, zwischen Himmel und Erde herumlaufen? Das ganze Leben derselben besteht nur in Versuchen, sich die entsetzlichste Langeweile zu vertreiben. Sie mag aussterben, das ist das einzig Neue, was sie noch erleben kann« (an Karl Gutzkow Anfang Juni 1836).

18.12 **Er hat keine Moral!:** Dem Mörder J. Ch. Woyzeck war uneingeschränkt alleiniges Verschulden an seiner Misere durch »mo-

ralische Verwilderung« attestiert worden (s. »Anhang«, S. 97 u.
100; Büchner, Bd. 1, S. 939 u. 942).

Lasset die Kindlein zu mir kommen.: Auf die Bibel (hierzu   18.20
Matth 19,1–19,14; Mk 10,14; Lk 18,16) konnten sich auch
die ansonsten ungebildeten Bauern berufen, an die *Der Hessi-
sche Landbote* sich wendet.

Wir arme Leut.: Woyzeck spricht aus der kollektiven Erfahrung   18.24
der Klasse der Besitzlosen, die darauf angewiesen sind, sich für
andere abzuschinden. Er sieht sein Elend nicht als persönlich
verschuldet an und lässt sich deshalb kein schlechtes Gewissen
einreden.

Geld, Geld [...] auf die Moral: Nicht Moral ist der Punkt, um   18.25–26
den sich alles dreht, sondern Geld. Um zu leben, braucht man
Geld. Büchner fand, es sei »keine Kunst, ein ehrlicher Mann zu
sein, wenn man täglich Suppe, Gemüse und Fleisch zu essen
hat« (Büchner, Bd. 1, S. 662).

in Himmel [...] donnern helfen: Zitat aus dem Gedicht »Jost«   18.28–29
(1785, veröffentlicht 1789) von Gottlieb Conrad Pfeffel (1736–
1809), dem elsäss. Dichter der Aufklärung.

keine Tugend [...] nur so die Natur: Der Gegensatz Tugend –   19.6
Natur ist schon in *Danton's Tod* von zentraler Bedeutung. Aus
den Zwängen seiner Lebensbedingungen heraus hat Woyzeck
einen unmittelbaren Zugang zur materialistischen Betrach-
tungsweise, während der Hauptmann gar nicht weiß, wovon
er spricht (s. 18,12 f.: »Moral das ist wenn man moralisch
ist«).

heftig: **Rühr mich an!**: In der umgangssprachlichen Redeweise,   19.32
die Büchner innovativ in ein Drama mit tragischem Inhalt ein-
setzt, kann die emotionale Aufladung der Aussage die Bedeutung der Worte bis ins Gegenteil verschieben. Körpersprache
kommt »zu Wort« wie noch nie im Sprechtheater.

Und doch 2 Groschen täglich.: Aus Ärger über das entgangene   20.7–8
Analysematerial für seine Versuchsreihe durch Woyzecks uner-
laubtes Urinieren wirft der Doktor ihm Betrug vor. Für das
Geld, das er dem Probanden zahlt, damit er Erbsen isst, kann
er auf sein Recht an dessen Körperausscheidung pochen.

die Natur kommt [...] der Mensch ist frei: Der naturforschende   20.10–15
Doktor verachtet die Natur, sein Ehrgeiz ist es, sie sich gefügig

zu machen, um berühmt zu werden. Im absurden Kontrast zu Woyzecks Zwangslage, die er sichtlich erbarmungslos ausnutzt, herrscht er sein Opfer mit dem Kernsatz der klassischen idealistischen Philosophie an. Die metaphysische Behauptung der Freiheit des Willens war nach Immanuel Kant (1724–1804) zur Richtschnur für die leitenden sittlichen und ästhetischen, zudem auch rechtlichen Anschauungen der »modernen Gesellschaft« geworden. Aus dem Doktor spricht auch der Gerichtsmediziner Clarus, der diese Rechtsordnung gnadenlos bedient, die abstrakt alle gleichstellt, von den real ungleichen materiellen Abhängigkeiten aber absieht.

20.20–21 **Harnstoff, 0,10, salzsaures Ammonium:** Die Begründung der physiologischen Chemie begann mit Untersuchungen zur Umwandlung von Harnsäure in Harnstoff. Der Stoffwechselversuch des Doktors hat ein Vorbild in ernährungsphysiologischen Experimenten, die Justus Liebig während der Zeit von Büchners Studien in Gießen mit Soldaten anstellte (s. Bornscheuer 1995, S. 15). Die von Liebig und Friedrich Wöhler (1800–1882) entwickelte exakt vergleichende Analyse der Zusammensetzung der aufgenommenen Nahrungsmittel und der ausgeschiedenen Stoffwechselprodukte erbrachte das Wissen, aus dem die Nahrungs- und Arzneimittelindustrie hervorgeht.

20.21 **Hyperoxydul:** Die Begriffsbildung ergibt keinen Sinn, korrekt wäre »Hippursäure«. Für den offenbar beabsichtigten Übersteigerungseffekt wird es Büchner auf den Ausdruckswert der anfangsbetonten Vorsilbe »hyper-« angekommen sein.

20.26 **Akkord:** Vertrag. Im Unterschied zum feudalen persönlichen Abhängigkeitsverhältnis kleidet sich das moderne bürgerliche in die vertragliche Form freier Partnerschaft. Woyzeck hat eine Verpflichtung verletzt, die er in dem Akkord mit dem Doktor eingegangen ist; der hat es »schriftlich« (in H 2,6 sagt er: »Es ist Betrug Woyzeck«, 61,6). Woyzeck ist allerdings auf die »2 Groschen täglich« (20,7 f.) und das eingesparte Verpflegungsgeld angewiesen, um mit Marie und dem Kind zu überleben. Von der unterstellten Freiheit der Vertragspartner kann nur der sozial Überlegene auf Kosten des Schwächeren praktisch Gebrauch machen.

21.3 **proteus:** Der auch als Grottenolm bekannte Schwanzlurch proteus anguinus stellt entwicklungsgeschichtlich eine singuläre Übergangsform dar. Im franz. Text der Abhandlung Büchners über seine Untersuchungen an Fischen und einigen Amphibien heißt das Tier »le Protée«, der Proteus (s. Büchner Bd. 2, S. 120, 134 u. 886–889). Wenn ein Student ihm für seinen zoologischen Anatomiekurs im WS 1836/37 an der Universität in Zürich ein seltenes Material mitbrachte, wusste der Privatdozent Büchner das durchaus zu schätzen (s. Hauschild 1985, S. 395). Um so bemerkenswerter ist seine scharfe Distanzierung von dem borniert rationalistischen Berufskollegen im Drama, der einen Menschen nur als ein weniger wertvolles, weil leicht ersetzbares, zoologisches Versuchsobjekt wahrnimmt.

in was für Figurn: Nach altem Glauben bezeichnen bestimmte Figuren, z. B. Ringe, in denen Pilze sich ausbreiten, heimliche Tanzplätze von Hexen.   21.17

Wer das lesen könnt.: Zum Quellenhintergrund gehört, dass Clarus bei J. Ch. Woyzeck feststellt, er hege »allerhand irrige, phantastische und abergläubische Einbildungen von verborgenen und übersinnlichen Dingen, denen bei ihm theils Mangel an Kenntniß und Erziehung, theils Leichtgläubigkeit zum Grunde liegt, und [...] einen natürlichen Hang, über dergleichen Dinge nachzugrübeln« (s. »Anhang«, S. 117; Büchner, Bd. 1 S. 960).   21.18

aberratio mentalis partialis, zweite Species: (Lat.) »Teilweise Geistesstörung, zweiter Art«. Hierzu sind Beobachtungen in den Quellen zum Fall des Tabakspinnergesellen Daniel Schmolling aufschlussreich, der am 25.9.1817 seine Geliebte Henriette Lehne in der Hasenheide bei Berlin umbrachte. Das Gutachten, das Büchner wohl über das Fachblatt *Henkes Zeitschrift für die Staatsarzneikunde* kannte, spricht von einer »Species der partiellen Manie« bei allgemein unauffälligem Verhalten und stellt fest, »daß auch Partiell-Verrükte zur Erreichung ihrer Zwecke, so verkehrt diese auch sind, mit bewundernswürdiger Vorsicht und Ueberlegung« vorgehen (Horn, S. 351 u. 145). Das trifft auf den Doktor nicht weniger zu als auf Woyzeck.   21.19–20

Schwärmerisches: Als Fachausdruck in der Medizin der Zeit steht »Schwärmerei« für eine Art fixen partiellen Wahnsinn.   22.11

machen wir die unsterblichsten Experimente: Für den Doktor ist der Hauptmann ein menschlich ebenso gleichgültiges Objekt zu   22.22–23 seiner Verwertung wie Woyzeck. Das reine Forschungsinteresse, auf das seine Wahrnehmung verengt ist, muss ihn für den Hauptmann das Schlimmste wünschen lassen. Je enger die Fokussierung auf den Fixpunkt des speziellen Interesses eingestellt ist, um so mehr droht sich dies auf Kosten des allgemeinen menschlichen Interesses auszuzahlen. In der Verkümmerung der Persönlichkeit des Doktors zur Karikatur eines Menschen wird sinnfällig, wie der Nutznießer der Ungleichheit selbst als Mensch verliert.

22.26–27 **Zitronen in den Händen:** Einem Brauch gemäß trägt man bei Beerdigungen eine Zitrone und einen Rosmarinstängel in der Hand.

23.11 **Plinius:** Gaius Plinius Secundus Maior, kurz Plinius der Ältere genannt (~23–79 n.Chr.), röm. Gelehrter, Beamter und Heerführer. Gemeint ist eigentlich der griech. Schriftsteller Plutarch (~45–125 n.Chr.), der Alexander des Großen (356–323 v. Chr.) Befehl überliefert, seine Soldaten sollten sich vor dem Kampf rasieren, damit die Gegner den Bart nicht zum Festhalten benutzen können.

24.25 **grotesk:** Das Groteske ist ein konstitutives Element von Büchners Realismus. Bei Jean Paul (1763–1825) ist es teilweise vorgebildet, Victor Hugo (1802–1885) hat es programmatisch als ästhetisches Grundprinzip dem klassizistischen Schönheitsprinzip entgegengesetzt. Das Hässliche hat darin seinen Platz im Kontrast mit dem Schönen, das Komische mischt sich ins Tragische und umgekehrt.

25.18–26.2 **Frau Wirtin hat [...] auf die Solda – aten.:** Büchner hatte diese Verse schon in einem Entwurf zu *Leonce und Lena* eingesetzt, dort gesungen von Valerio. Das Lied ist mit vielen Strophen in zahlreichen Varianten überliefert. Auf seinen Ursprung in Hessen deutet der Titel »Es steht ein Wirtshaus an der Lahn« hin. In Gießen sangen die Studenten es den Fuhrleuten nach. Erst seit 1840 ist es gedruckt verbreitet.

26.16–18 **Ich hab ein [...] stinkt nach Brandewein, –:** Eine Quelle für diese Verse ist nicht belegt.

27.2 **Ein Jäger aus der Pfalz:** Vgl. Erl. zu 9,8. Der Chor der betrunkenen Handwerksburschen zum Tanz des Tambourmajors mit Marie nimmt mit der Strophe vom Jäger aus der Pfalz das

Hasenliedmotiv wieder auf. Das Unheil, auf das die Eingangs-
szene erst dumpf anspielte, tritt ein. Der Jäger in Gestalt des
Tambourmajors reißt Marie, die sexuelle Beute, mit sich in
den Strudel, aus dem es kein Auftauchen mehr gibt. Handlungs-
ebene und musikalische Anspielungsebene schließen zusammen. Der Tambourmajor steht nur eine kleine Stufe über Woyzeck. Aber der geringe Unterschied macht so viel aus, dass er
gegen ihn so wenig eine Chance hat wie der Hase gegen den
Jäger. Keineswegs ist Büchners Konzept der Handlung ursprünglich sozial unbestimmt. Von der ersten Szene des ersten
Entwurfs an wird mit dem Hase-Jäger-Motiv die soziale Kom-
ponente der Eifersuchtshandlung entwickelt (s. H 1,2 und
H 1,3). Der Tambourmajor (da noch »Unterofficier«) kann
den einfachen Soldaten einfach wegschicken, um sich dessen
Freundin zu nehmen.

Immer zu – immer zu!: Das Motiv hat Büchner den gerichts- 27.8
medizinischen Akten entnommen. Zu einer Eifersuchtsanwand-
lung hatte J. Ch. Woyzeck angegeben, an einem Abend, an dem
zum Tanz aufgespielt wurde, habe er sich beim Gedanken an die
abwesende Frau vorgestellt, »daß diese wohl dort mit einem
anderen zu Tanze seyn könne. Da sey es ihm ganz eigen gewesen, als ob er die Tanzmusik, Violinen und Bässe, durcheinander,
höre, und dazu im Takte die Worte: *Immer drauf, immer
drauf!*« (s. »Anhang«, S. 115; Büchner, Bd. 1, S. 957 f.)

Warum blast Gott nicht ⟨die⟩ Sonn aus: Unter dem Schock der 27.11
Bestätigung des Untreueverdachts holen Woyzeck die dunklen
Ahnungen vom Anfang ein. In dem Moment, in dem er des
Verlustes dessen, wofür er lebt, innewird, schlägt seine Angst
um in die verzweifelte Bejahung der Visionen von der Vernich-
tung der Welt als einem einzigen sündigen Sodom und Gomorrha.

in Unzucht sich übernander wälzt: In der Bildersprache des 27.11–12
Hessischen Landboten ist der »Fürstenmantel [...] der Teppich,
auf dem sich die Herren und Damen vom Adel und Hofe in ihrer
Geilheit übereinander wälzen.«

HANDWERKSBURSCH *predigt:* Biertischpropheten unter Studen- 27.18
ten in Gießen ebenso wie unter Handwerksgesellen in Zürich,
dem Sammelpunkt dt. Emigranten, pflegten sich der Bibelspra-

che mit ihren geläufigen Wendungen und kernigen Sprüchen zu bedienen.

27.21–29 **Warum ist der [...] ausgerüstet hätte.**: Büchner lehnt die teleologische Weltansicht ab, nach der alles, was existiert, zu einem bestimmten Zweck da ist, vielmehr stimmt er mit Spinoza darin überein, »daß die Natur keinen bestimmten Zweck habe und daß alle Endzwecke, menschliche Erdichtungen sind« (»Spinoza«, in: Büchner, Bd. 2, S. 324). Diesen Standpunkt, auf dem sein Menschenbild beruht, vertritt er in seiner Probevorlesung »Über Schädelnerven« auch gegenüber teleologischen Auffassungen in der anatomischen und physiologischen Forschung: »Die Natur handelt nicht nach Zwecken, sie reibt sich nicht in einer unendlichen Reihe von Zwecken auf, [...] sie ist in allen ihren Äußerungen sich unmittelbar selbst genug. Alles, was ist, ist um seiner selbst willen da« (Büchner, Bd. 2, S. 158).

27.32 **über's Kreuz pissen, damit ein Jud stirbt:** Die Verbreitung dieser »antisemitischen Zote« (Hinderer) ist im *Handwörterbuch des deutschen Aberglaubens* von Hanns Bächtold-Stäubli belegt.

28.4–7 **was sagt ihr? [...] stich tot, tot.**: Aus den Geräuschen von Freimaurern, die Woyzeck zu Anfang unter der Erde zu hören meint, werden hier Stimmen. Vom historischen Woyzeck ist durch Clarus überliefert, ihm habe einmal auf der Treppe eine Stimme zugerufen: *»Stich die Frau Woostin todt!«* (s. »Anhang«, S. 115; Büchner, Bd. 1, S. 958).

28.5 **Zickwolfin:** In der Vorstufe der Szene (H 1,6) hieß es noch: »stich die Woyzecke todt«.

28.8 **Nacht:** Von nächtlichen Angstzuständen vor dem Mord, als der Gedanke daran ihn nicht mehr losließ, war auch im Fall Schmolling berichtet worden.

28.16 **zwischen de Auge wie ein Messer:** In der Ausgestaltung des Messermotivs und den Umständen des Mordgeschehens orientiert Büchner sich am Fall Schmolling; J. Ch. Woyzeck hatte sich das Messer aus einer abgebrochenen Degenklinge angefertigt.

28.19 **Kasernenhof:** Die Quellengrundlage für die Szene in der Woyzeck-Dokumentation besteht nur aus dem Satz: »Am andern Tage habe er gehört, daß die Woostin wirklich mit einem andern in Gohlis [beim Tanz] gewesen sey, und sich lustig gemacht habe!«

⟨**Hauptmann**⟩: Die Szene ist nur in der ersten Entwurfsreihe über- 29.5
liefert, dort (H 1,8) steht statt »Hauptmann« noch »Officier«.

Wirtshaus: Aus Eifersucht habe J. Ch. Woyzeck »viel Lärm und 29.9
Unruhe gemacht«, heißt es (s. »Anhang«, S. 105; Büchner, Bd. 1,
S. 947). Ein anderes Stichwort nahm Büchner möglicherweise
aus dem amtsärztlichen Gutachten seines Vaters Ernst Büchner
(1786–1861) zu einem Fall tätlichen Vergreifens eines Soldaten
an einem Vorgesetzten auf. Der Beschuldigte galt als »ein
musterhaft braver Soldat«. Nur einmal zuvor schon hatte er eine
Schlägerei – mit einem Tambour (Büchner, Bd. 1, S. 717).

Der Kerl soll dunkelblau pfeifen.: In Wirklichkeit soll J. Ch. 29.25
Woyzeck das bei Gelegenheit einer anderen Konfrontation gesagt haben. Später konnte er »nicht mehr sagen, was er damals
eigentlich damit gemeint habe« (s. »Anhang«, S. 113; Büchner,
Bd. 1, S. 956). Für die Angabe von Clarus, der Ausdruck sei
»unter dem niedrigen Pöbel« in Leipzig »ein sehr gewöhnlicher
Provinzialismus« (ebd.), findet sich kein Beleg.

Eins nach dem andern.: »Langsam, Woyzeck, langsam; ein's 29.30
nach dem andern«, hatte der Hauptmann zu ihm gesagt
(17,11 f.). Im Nachhall bekommen dieselben Worte hier für
Woyzeck einen anderen Sinn.

Der Jude: Vgl. Erl. zu 10,14. 30.1

das Messer: In den Quellen ist nichts vorgegeben für die Messer- 30.4
kauf-Szene.

Karl: Die geistig behinderte Figur bei Marie im Haus bekommt 30.15
erst in H 4 in den Sprecherangaben einen Namen. Davor tritt
Karl zuerst unter der Bezeichnung NARR und dann IDIOT auf.
Karl hieß ein etwas blödsinniges Faktotum (»un peut idiot«) der
Straßburger Studienanstalt, in der Freunde Büchners wohn-
ten.

kein Betrug [...] Herrgott!: Die Stelle, bei der Marie das Ge- 30.16–17
wissen schlägt, heißt: »[W]elcher keine Sünde getan hat, ist auch
kein Betrug in seinem Munde erfunden« (1. Petr. 2,22).

aber die Pharisäer [...] hinfort nicht mehr.: Der mit Auslassun- 30.18–22
gen (»Wer unter euch ohne Sünde ist, der werfe den ersten Stein
auf sie« usw.) gelesene Text steht im Evangelium des Joh. (8,3–
11).

Ich kann nicht.: Über seine Natur kann niemand hinaus, das 30.23

zeigen im Gegensatz zu den idealistischen Freiheitsbehauptungen schon die Figurenkonzeptionen von *Danton's Tod*.

30.28–31 **Der hat [...] Leberwurst:** Aus verschiedenen Märchen der Brüder Grimm wie »Rumpelstilzchen«, »Blutwurst« u. a. Die Rede Karls bleibt dunkel. Er verfügt über eine eher animalische Wahrnehmungsfähigkeit.

31.1–2 **es wird heiß [...] *Fenster auf*...:** In Goethes *Faust (I)* sagt Gretchen in analoger Gewissensnot: »Mir wird so eng [...] Luft!« Büchner setzt die Situation der Marie kontrastierend in Bezug zu der Gretchens im Kerker, wo sie sich im Gebet dem Gericht Gottes überantwortet und die »Stimme von oben« ihr daraufhin Erlösung verheißt.

31.2–6 **Und trat [...] mit Salben.:** Marie liest weiter in der Bibel von der reuigen Sünderin, zu der Jesus am Ende sagt: »Dein Glaube hat dir geholfen; gehe hin in Frieden!« (Lk 7,36–50) Marie ist die Selbstentäußerung im Glauben nicht möglich. Im Unterschied zu Gretchen bekommt sie kein Gebet über die Lippen.

31.8 **Kaserne:** Die Szene wird öfter »Testamentsszene« genannt. Woyzeck lässt alles hinter sich. Er muss das Vorhaben nur noch ausführen. Die in H 3 ausgearbeitete Handlung endet mit dieser Szene.

31.12–13 **ein Heiligen [...] schön Gold:** Ein Heiligenbildchen, das auf Jahrmärkten zu haben ist, wie die anderen »Herrlichkeiten aus Wasser und Mehl, Dreck und Goldpapier« (an die Familie, Straßburg, Ende Dezember 1835).

31.15–18 **Leiden sei all [...] sein aller Stund.:** Die beiden ersten Zeilen mit zwei anderen aus dem Lied »Eines Krancken« von dem pietistischen Arzt Christian Friedrich Richter (1676–1711) hatte Büchner auch schon in *Lenz* eingesetzt. Das Lied stand in vielen Kirchengesangsbüchern. Es heißt darin: »Leiden ist jetzt mein Gewinnst [...] Leiden ist mein Gottesdienst.« Büchner macht aus »Leiden ist jetzt« beide Mal »Leiden sei all« und fügt die Verse bis »aller Stund« hinzu. So hebt er die Begrenzung des Leidens auf »jetzt« (und unausgesprochen »hier«) auf. Das christl. Versprechen eines besseren »dereinst« im Jenseits wird damit hinfällig. Was Woyzeck vorliest, kommt nicht aus ihm. Sein und seinesgleichen Leiden sind ihm auferlegt, ohne Aussicht auf Entschädigung in einer anderen Welt.

Friedrich Johann Franz: Die Beibehaltung des Familiennamens 31.22
Woyzeck und des einen Vornamens, Johann, verweist auf die
historische Verbürgtheit der Figur, die Vornamen Friedrich und
Franz auf ihren Status als fiktive Person. Den weggelassenen
historischen Vornamen Christian überträgt Büchner auf das
Kind von Franz und Marie.

geboren...: Die Stelle für das Datum ist in der Handschrift frei- 31.24
gelassen. Die Lesung der anschließenden Wortfolge ist unsicher.

Mariae Verkündigung: An dem Tag soll Maria die Geburt ihres 31.24–25
vom Hl. Geist empfangenen Sohnes Jesus verkündigt worden
sein (Lk 1,35 u. 1,39–43). Das betreffende Kirchenfest ist allerdings am 25.3. und nicht am 20.7.

Wie scheint [...] hatte rote...: Die Herkunft des Lieds ist un- 32.3–9
bekannt.

St. Lichtmeßtag: Lichtmess, auch Mariae Reinigung, ist der 32.3
40. Tag nach Weihnachten (2.2.). So viele Tage galt eine Frau
nach der Geburt eines Jungen als unrein. An dem Tag werden die
Kerzen geweiht.

König Herodes: Herodes, der König des alten jüd. Reiches, ist in 32.20
der Bibel (Matthäus) der grausame Herrscher schlechthin. Zahl-
reiche Morde, darunter an Kindern, auch Schuld am Tod von
Jesus, werden ihm zugeschrieben.

Großmutter erzähl!: Erschrocken darüber, wie ihr gerade der 32.21
König Herodes in den Sinn kommt bei dem Lied, das sie zur
Beschwichtigung der Kinder angestimmt hat, gibt sie an die
Großmutter weiter.

Es war einmal [...] ist ganz allein.: Auch der Großmutter fließen 32.22–33.2
düstere Gedanken in ihr Märchenerzählen ein. Aus der Verar-
beitung von Elementen mehrerer Märchen aus der Sammlung
der Brüder Grimm hat Büchner ein originäres Werk im Werk
entwickelt. Es stellt das Einzelschicksal, von dem das Drama
handelt, in einen universalen Deutungszusammenhang. Die Reise des verlassenen Kindes in den Himmel führt auf die Erde
zurück, eine bessere Welt hat es nicht gefunden.

ein arm Kind: Zunächst übernimmt Büchners »arm Kind« die 32.22
Rolle des Mädchens, dem Vater und Mutter gestorben waren,
im Märchen »Die Sterntaler« (1812 zuerst veröffentlicht u. d. T.
»Das arme Mädchen«).

32.26–29 **in Himmel gehn [...] es zur Sonn:** Im Märchen »Die sieben Raben« sucht das Mädchen ihre Brüder bis zur Sonne, »aber die war zu heiß und fürchterlich, und fraß die kleinen Kinder«, und zum Mond, »aber der war gar zu kalt und auch grausig«. Zu Sonne, Mond und den Winden führt die Suche nach ihrem Geliebten auch das Mädchen in dem Märchen »Das singende, springende Löweneckerchen«. Sie war nach ihrer langen vergeblichen Suche »wieder verlassen und setzte sich nieder und weinte«. Eine Anregung kann auch vom Albtraum der Verlorenheit des Menschen in einem abgestorbenen Kosmos nach dem Tod Gottes ausgegangen sein, den Jean Paul in seinem Roman *Siebenkäs* (1796) geschildert hatte (»Rede des toten Christus«).

33.5 **wir wolln gehn:** Ab hier folgt der Handlungsablauf weitgehend dem Hergang im Mordfall Schmolling, der im Gutachten über dessen Gemützzustand dokumentiert ist (s. Anhang, S. 89–96; Büchner, Bd. 1, S. 930–938).

33.14–16 **Weißt du auch [...] noch sein wird?:** Ein solches Gespräch führte Schmolling unmittelbar vor der Tat mit seinem Opfer (s. Anhang, S. 94; Büchner, Bd. 1, S. 936).

33.20–21 **sie noch einmal zu küssen...:** Schmolling hatte vor seiner Abführung den Wunsch geäußert, die ermordete Geliebte noch einmal zu küssen (s. »Anhang«, S. 96; Büchner, Bd. 1, S. 938).

33.27–28 **der Mond rot [...] ein blutig Eisen.:** Über die Wahrnehmung durch die handelnden Personen zieht das emotional stark berührende Bild gleichsam die Kulisse mit ins Geschehen. Hintersinnig verweist es zugleich auf die Vorgeschichte, die Woyzeck zum Verfolgten apokalyptischer Angstvisionen gemacht hatte. In der »Offenbarung des Johannes« berichtet der Evangelist, er habe gesehen: »die Sonne ward finster wie ein schwarzer Sack, und der Mond ward wie Blut« (Offb. d. Joh. 6,12 f.).

34.5 *⟨Er läßt das Messer und⟩ läuft weg.:* Das Verlieren des Messers und die Suche danach ist aus der Aussage von Schmolling übernommen (s. »Anhang«, S. 95; Büchner, Bd. 1, S. 937).

34.6 **Es kommen Leute:** So die Angabe aus dem Prozess Schmolling, wonach Männer, die abends auf dem Heimweg von der Berliner Hasenheide in die Stadt gewesen waren, die Hilferufe der Erstochenen gehört hatten.

Frau Wirtin hat [...] auf die Soldaten.: Vgl. Erl. zu 25,18–26,2.   34.21–25

Ins Schwabeland [...] kein Dienstmagd zu.: Teil der 1. Strophe   35.4–7
aus dem Volkslied »Auf dieser Welt hab ich kein Freud«. Diesen
hier fehlenden Anfang des Lieds singt in der Erzählung *Lenz* die
Magd im Haus von Oberlin.

O pfui mein [...] ich schlaf allein.: In dem Lied (s. Erl. zu 34,21–   35.10–11
25) lautet die 4. Strophe: »Mein Schatz wollt' mir ein Thaler
geben, / Ich sollt' mit ihm zu Bette gehn. / Zu Bette gehn, das
wär nicht fein, / Behalt' deinen Thaler, ich schlaf allein.«

ich riech Menschefleisch: Im Märchen vom Däumling sagt der   35.26–27
Menschenfresser: »Ich rieche Menschenfleisch«; im Märchen
von den sieben Raben sagt dies der Mond (vgl. Erl. zu 32,26–
29).

noch blutig? [...] Da ein Fleck: Die Formulierung klingt, von   36.17
Büchner sicher gewollt, an eine Stelle in Shakespeares *Macbeth*
(V 1) an. Mit den Worten »Da ist noch ein Fleck« usw. ist Lady
Macbeth zwanghaft bemüht, sich die Hände von ihrer Blut-
schuld reinzuwaschen.

Der is ins Wasser [...] in's Wasser gefalle.: Der in Hessen geläu-   37.2–10
fige Fingerabzählreim lautet übereinstimmend: »Der is ins Was-
ser gefalle« (Wehrhan 1929, Nr. 189). Die elsäss. Variante (»Der
isch in's Wasser g'falle«) wird Büchner auch bekannt gewesen
sein (*Elsässisches Volksbüchlein*, Nr. 43).

Christian: Erst hier, in der von Büchner zuletzt geschriebenen   37.5
Szene, bekommt das Kind, als letzte der Arme-Leute-Figuren,
einen Namen, den zweiten Vornamen des historischen Woyzeck. Die Oberen bleiben bis zum Schluss ohne persönlichen
Namen.

Hop! hop! [...] Roß: Anfang eines bekannten Kniereiterlied-   37.15–16
chens

Gerichtsdiener. Barbier. Arzt. Richter: In der Handschrift (am   37.18
Ende von H 1, vor Beginn der Entwurfsreihe H 2) ist die nicht
ausgeführte Szene von Büchner nicht gestrichen worden wie die
aufgegebenen Entwurfsansätze.

Ein guter Mord [...] lange so kein gehabt. –: Die zweckratio-   37.19–21
nalistisch auf ihre Rollenerfüllung als Gerichtsdiener usw. fi-
xierten Funktionsträger genießen den Mordfall als Selbstbestä-
tigung. Ihr Sprecher treibt die teleologische Logik des Hand-

werksburschen (27,18–29) auf die Spitze – was wären sie, wovon hätten sie leben sollen, wenn Gott nicht auch den Mörder
geschaffen hätte (vgl. auch Erl. zu 20,10–15).